小屁孩日记

二年级趣事多

黄宇 著

北方联合出版传媒（集团）股份有限公司
春风文艺出版社
·沈 阳·

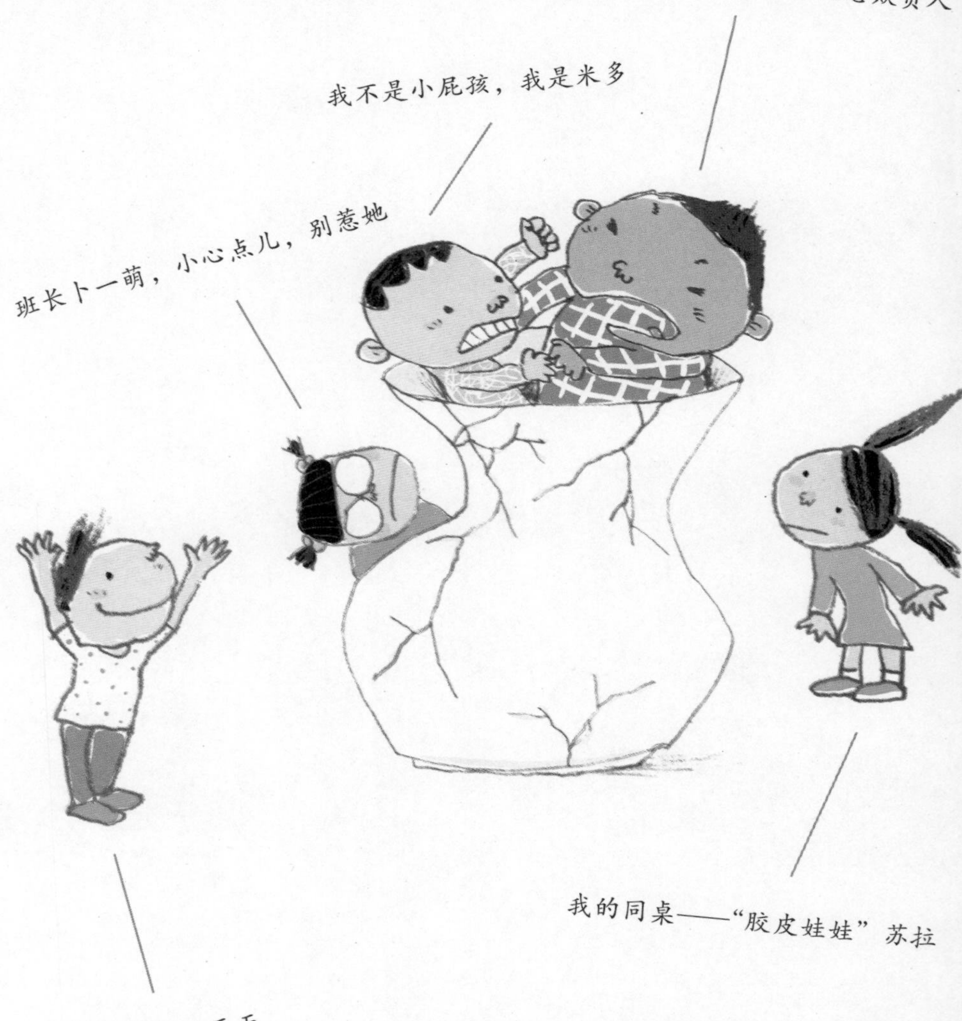
"大熊"金刚，仗着体型大总欺负人
我不是小屁孩，我是米多
班长卜一萌，小心点儿，别惹她
我的同桌——"胶皮娃娃"苏拉
"告状精"王天天

甜老师其实是田老师，一笑起来含糖量很高。最擅长的武器：罚站、抄课文
我的“跟屁虫”朱奇奇
我的宠物狗“一塌糊涂”
“打不死的小强”刘坚强

图书在版编目（CIP）数据

小屁孩日记·二年级趣事多 / 黄宇著. —沈阳：春风文艺出版社，2011.11（2014.9重印）
（七色狐注音读物）
ISBN 978-7-5313-4062-1

Ⅰ.①小… Ⅱ.①黄… Ⅲ.①汉语拼音—儿童读物
Ⅳ.①H125.4

中国版本图书馆CIP数据核字（2011）第167616号

北方联合出版传媒（集团）股份有限公司
春风文艺出版社出版发行
http://www.chinachunfeng.net
（沈阳市和平区十一纬路25号 邮编：110003 狐狸姐姐热线：024-23284285）
沈阳市奇兴彩色广告印刷有限公司印刷

责任编辑	朱立红（狐狸姐姐 azhu@vip.sina.com）	责任校对	于文慧
印制统筹	刘 成	幅面尺寸	180mm×210mm
字 数	80千字	印 张	5.5
版 次	2011年11月第1版	印 次	2014年9月第20次
书 号	ISBN 978-7-5313-4062-1	定 价	18.00元

目录

我上二年级了

9月1日　星期二　蓝汪汪的天

yì nián qián wǒ hái shì gè gāng shàng yī nián jí de xiǎo
一年前，我还是个刚上一年级的小
dòu bāo yǐ wéi yī nián jí shàng yì nián èr nián jí shàng liǎng
豆包，以为一年级上一年，二年级上两
nián sān nián jí shàng sān nián xiàn zài yì zhuǎn yǎn wǒ
年，三年级上三年……现在一转眼，我
jiù chéng wéi èr nián jí de dà là jiāo le
就成为二年级的“大辣椒”了！

zhěng zhěng yí gè shǔ jià mā ma shuō wǒ dōu wán fēng
整整一个暑假，妈妈说我都玩疯
le wǒ zhī dào mā ma yòng de shì kuā zhāng yīn wèi
了。我知道妈妈用的是“夸张”，因为
wǒ měi tiān yào qù shàng měi shù kè tái quán dào yīng
我每天要去上美术课、跆拳道、英
yǔ shuō shì xìng qù bān míng míng bú shì wǒ de xìng
语……说是兴趣班，明明不是我的兴
qù shì mā ma hé bà ba de xìng qù suǒ yǐ
趣，是妈妈和爸爸的“兴趣”。所以，

等上完爸爸妈妈的兴趣班，才是我开始玩的时间。每天的午觉也省了，我得节约时间，好看动画片、玩小玩具，和院里的小朋友们玩捉迷藏、打仗、弹玻璃球……

直到快开学的头几天，我才想起来，作业还没写呢！

最困难的就是补日记。过去的一个月，我早就忘记每天都干什么了。只记得每天吃饭、睡觉、玩。重新写日记真是太费劲了。为了多凑一些字数，每篇日记后面我都会写上：我今天真开心。

妈妈说，每个人不可能每天心情都这么好，这不真实。

yú shì hòu miàn de rì jì měi piān hòu miàn wǒ dōu xiě
于是，后面的日记每篇后面我都写
shàng wǒ jīn tiān yì diǎn er yě bù kāi xīn
上：我今天一点儿也不开心。
mā ma kàn le yòu pī píng wǒ shuō yí gè rén bù kě
妈妈看了又批评我说，一个人不可

néng měi tiān dōu nán guò zhè yě shì bù zhēn shí de
能每天都难过。这也是不真实的。

zhēn méi bàn fǎ wǒ zhǐ hǎo gé yì tiān xiě shàng wǒ jīn tiān zhēn kāi xīn gé yì tiān xiě shàng
真没办法。我只好隔一天写上：我今天真开心。隔一天写上：

wǒ jīn tiān yì diǎn er yě bù kāi xīn
我今天一点儿也不开心。

jīn tiān zǎo shang chī mǐ fàn wǒ jīn tiān zhēn kāi xīn
今天早上吃米饭。我今天真开心。

jīn tiān zǎo shang chī mǐ zhōu wǒ jīn tiān yì diǎn er yě bù kāi xīn
今天早上吃米粥。我今天一点儿也不开心。

jīn tiān zǎo shang chī yóu tiáo wǒ jīn tiān zhēn kāi xīn
今天早上吃油条。我今天真开心。

jīn tiān zǎo shang
今天早上……

mā ma tàn le kǒu qì shuō wǒ nǎ shì xiě rì jì fēn míng jiù shì jì fàn pǔ
妈妈叹了口气，说我哪是写日记，分明就是记“饭谱”。

zhōng yú zài kuài kāi xué de qián jǐ tiān bǎ zuò yè dōu gǎn chū lái le
终于在快开学的前几天把作业都赶出来了。

过了这个很忙很忙的暑假，现在开学了。我背着书包走进学校的时候，看到很多一年级的小豆包拉着妈妈爸爸的手，眼泪巴巴的样子。我可是二年级的“大学生”了，想到这儿，我不由自主地挺起胸膛，大步地走向班级。

教室除了把一年一班的牌子，换成了二年一班的牌子，没有什么变化。

前面那个胖子是谁呀？他一回头，呀，是金刚。就隔了一个暑假，他怎么大了一倍。看来，我学了一个暑假的跆拳道，还是打不过他。

暑假冒险

9月7日　星期一　雨呀雨

下课的时候，苏拉的身边围了好多同学，不用问，肯定又在讲她的暑假历险了。有什么好听的呢？不过是海边、沙滩、浪花……用鼻子都能想得到。这也叫历险？

朱奇奇告诉我，苏拉说她暑假的时候去海边玩，捡到了一个比CC的脑袋还大的海螺，然后在海边的山洞里探险，那个山洞据说是海盗藏宝的地方呢。

什么什么，比CC脑袋还大？那是不可能的事情！CC是谁呀？是苏拉的那只猫，比猫脑袋还大的海螺，有吗？不过，就算有比CC脑袋还大的海螺，那有什么了不起的，也只是一只海螺嘛！

我告诉朱奇奇：“我在丛林冒险的故事才惊险呢。”

“什么什么，你暑假的时候去丛林了？”朱奇奇满脸的羡慕。

“是呀！丛林里到处都是高大的树木，叶子好大好大，一直把天空都遮住了，阳光照不进来……”

qiáo bú dàn zhū qí
瞧，不但朱奇
qi hái yǒu jīn gāng wáng
奇，还有金刚、王
tiān tiān dōu còu guò lái tīng
天天，都凑过来听
wǒ de mào xiǎn gù shi le
我的冒险故事了。
wǒ yuè jiǎng yuè shàng yǐn
我越讲越上瘾。

yǒu liǎng zhī yě zhū xiàng wǒ bēn
“有两只野猪，向我奔
guò lái liǎng gēn dà yá yòu jiān yòu
过来！两根大牙又尖又
cháng xiàng liǎng bǎ jiān dāo tài kě pà le wǒ xiān
长，像两把尖刀，太可怕了！我先
rào zhe yì kē dà shù pǎo rán hòu pá dào shù shang
绕着一棵大树跑，然后爬到树上
le lèi de yě zhū dà kǒu dà kǒu de chuǎn cū
了，累得野猪大口大口地喘粗
qì
气……”

gāng cái hái wéi zài sū lā shēn biān de
刚才还围在苏拉身边的
tóng xué xiàn zài dōu jí hé dào wǒ zhè er
同学，现在都集合到我这儿
le zhū qí qi chī jīng de zuǐ ba zhāng de
了。朱奇奇吃惊得嘴巴张得
lǎo dà bàn tiān dōu hé bú shàng
老大，半天都合不上。

我故意停下来。

“快讲啊，快讲啊……”大家开始催我。

“……我把食蚁兽驯服了，让它给我当吸尘器……”

其实，真实的情况是这样的：从林探险只不过是去姥姥家串门。没有野猪，只是两只家猪。我很不幸地掉进了猪圈里……

不过，这些只有我知道。

教师节的礼物

9月10日　星期四　蓝蓝的天空白云飘，白云下面我们跑

jīn tiān shì jiào shī jié wǒ men quán bān tóng xué yào sòng
今天是教师节，我们全班同学要送
gěi tián lǎo shī yí fèn lǐ wù kě shì mǎi lǐ wù shì xū
给甜老师一份礼物。可是，买礼物是需
yào qián de dà jiā yì qǐ bǎ dōu li fān le gè dǐ cháo
要钱的，大家一起把兜里翻了个底朝
tiān zhōng yú còu le wǔ shí wǔ kuài wǔ máo bàn
天，终于凑了五十五块五毛半。

wèi shén me shì wǔ máo bàn ne yīn wèi wǒ de wǔ
为什么是五毛半呢？因为我的五
máo qián bèi yì tā hú tú yǎo diào le yí bàn xiàn zài
毛钱被“一塌糊涂”咬掉了一半。现在
wǒ men fā chóu de shì sòng shén me ne
我们发愁的是，送什么呢？

sòng yì zhī gāng bǐ ba sū lā de xiǎng fǎ zǒng
“送一支钢笔吧。”苏拉的想法总
shì hé xué xí yǒu guān yì diǎn er chuàng yì dōu méi yǒu
是和学习有关，一点儿创意都没有。

hái shi sòng yí gè dà gè er de zhū nǎo dai
“还是送一个大个儿的猪脑袋，”
jīn gāng jīn bu zhù tiǎn tian zuǐ chún kǎo de jīn huáng jīn huáng
金刚禁不住舔舔嘴唇，“烤得金黄金黄
de mào zhe yóu lǎo xiāng le zhè ràng dà jiā dōu bù yuē
的，冒着油，老香了！”这让大家都不约
ér tóng de yàn le yí xià tuò mo
而同地咽了一下唾沫。

wǒ jué de hái shi sòng yí shù méi gui huā hǎo yòu
“我觉得还是送一束玫瑰花好，又
làng màn yòu gǎn rén bǔ yī méng chū zhǔ yi shuō
浪漫又感人。”卜一萌出主意说。

bù hǎo bù hǎo yí kàn jiù shì xiǎo nǚ shēng tài
“不好不好，一看就是小女生，太
xiǎo jiā zi qì le wǒ fǎn duì
小家子气了！”我反对。

chǎo lái chǎo qù yě méi gè jié guǒ dà jiā jué dìng
吵来吵去也没个结果，大家决定
yì qǐ qù lǐ pǐn diàn kàn kan yǒu méi yǒu shén me gèng hǎo de
一起去礼品店，看看有没有什么更好的
dōng xi
东西。

lǐ pǐn diàn li yǒu tài duō hǎo wán de dōng xi huì chàng
礼品店里有太多好玩的东西，会唱
gē de yīn yuè hé fēng yì chuī jiù huì dīng dīng dāng dāng xiǎng de
歌的音乐盒、风一吹就会叮叮当当响的
fēng líng yí dà shù yí dà shù jiào bù chū míng de huā bǐ
风铃、一大束一大束叫不出名的花、比
jīn gāng de gè zi hái yào gāo de dà gǒu xióng wǒ men dōu
金刚的个子还要高的大狗熊……我们都

bù zhī dào gāi xuǎn shén me hǎo le
不知道该选什么好了。

wǒ men sòng lǎo shī yì zhī huā píng zěn me yàng
“我们送老师一只花瓶怎么样？”

bǔ yī méng shuō wǒ kàn dào tián lǎo shī měi cì dōu bǎ xiān huā chā zài yí gè guàn tou píng li zhè zhī huā píng bú shì hěn piào liang ma
卜一萌说，“我看到甜老师每次都把鲜花插在一个罐头瓶里。这只花瓶不是很漂亮吗？”

xiǎng yì xiǎng bǎ huā píng bǎi zài tián lǎo shī de jiǎng zhuō shang zài chā mǎn měi lì de xiān huā jiǎn zhí tài bàng le
想一想，把花瓶摆在甜老师的讲桌上，再插满美丽的鲜花，简直太棒了！

dà jiā jué dìng jiù mǎi huā píng le
大家决定就买花瓶了！

kě shì mǎi nǎ zhǒng ne shì tòu
可是买哪种呢？是透

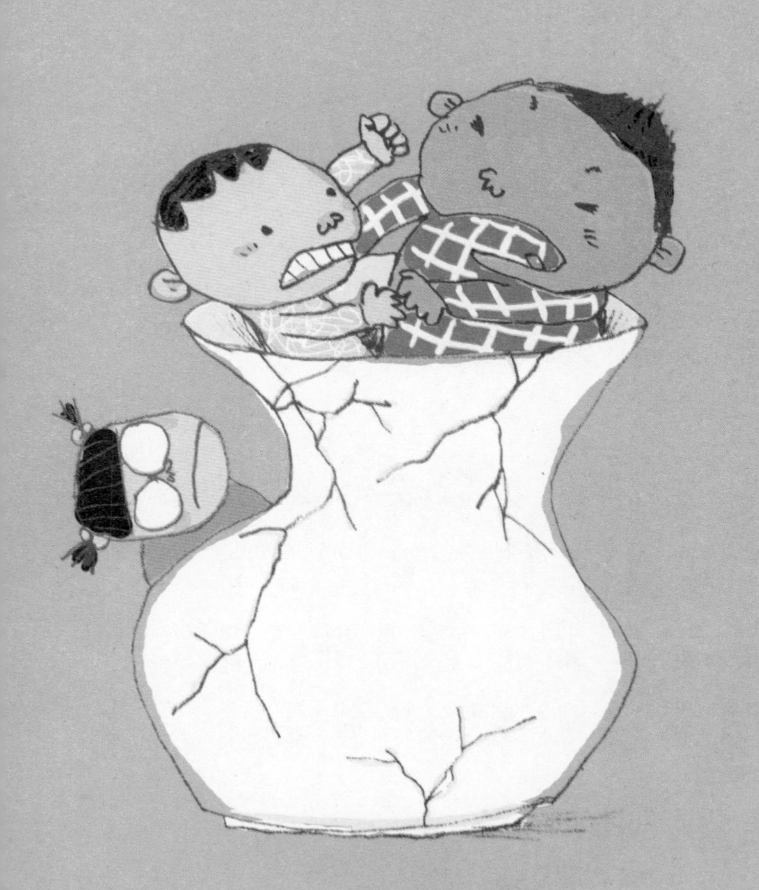

明的还是红色的？圆形的还是方形的？……

朱奇奇说粉色的好看，金刚说天蓝色的好看，于是，他们两个人打了起来。我刚开始帮着朱奇奇打金刚，可是朱奇奇说我多管闲事，于是我就帮着金刚打朱奇奇！

等我们的战争终于结束了，礼品店就像遭到强盗的抢劫一样。绒毛娃娃躺在地上，蹭了一鼻子的灰；会唱歌的音乐盒成了哑巴，另外还打碎了两只花

píng cǎi làn le shí zhī méi gui hái yǒu fǎn zhèng lǎo
瓶，踩烂了十支玫瑰，还有……反正老
bǎn qì de xiàng gè dà yān cōng yí yàng hū hū wǎng wài
板气得像个大烟囱一样，呼呼往外
mào qì
冒气。

wǒ men chuí tóu sàng qì de zǒu chū lǐ pǐn diàn wǔ
我们垂头丧气地走出礼品店。五
shí wǔ kuài wǔ máo bàn dōu péi gěi rén jia le zhì yú tián lǎo
十五块五毛半都赔给人家了，至于甜老
shī de lǐ wù ma méi yǒu le
师的礼物嘛，没有了。

甜老师穿了一件新衣服

9月14日　星期一　天空不高兴了，灰灰的

这一节是语文课。

甜老师出现的时候，我的眼睛一下子立了起来。甜老师今天穿了一件我从来也没见过的新衣服。

是白颜色的。

不，让我吃惊的不是衣服的颜色，我的心里有一个大大的问号：为什么老师的衣服没有扣子呢？

没有扣子的衣服怎么能套进去

呢？而且它不是T恤衫，就是那种套头的大背心……甜老师告诉同学们把语文书拿出来……

一定有扣子的，可是在哪儿呢？

“……把语文书翻到第二十四页……”

要么就是有拉锁？

“……今天我们讲第六课……”

上面没有，下面呢？

“……第六课的内容是……”

…………

我实在忍不住了，迫不及待地要把这个惊人的大发现告诉给其他人。

我偷偷在一张纸上写着：“我发现甜老师的衣服上没有扣子！！！”然后

chuán gěi zhū qí qi
传给朱奇奇。

zhū qí qi shōu dào hòu，zài hòu miàn xiě le yí jù：“wǒ yě fā xiàn le，zhēn qí guài！！！”rán hòu chuán gěi wáng tiān tiān。
朱奇奇收到后，在后面写了一句：“我也发现了，真奇怪！！！”然后传给王天天。

wáng tiān tiān zài hòu miàn tiān de yí jù shì：
王天天在后面添的一句是：

“真无聊。但是的确没有扣子呀！！！”然后传给……

等字条传回到我手里的时候，班里所有的同学都在为扣子问题烦恼了。可怜的甜老师一直站在讲台上讲，可是没有人注意她讲了什么。扣子的问题难道不是更重要吗？

“米多，刚才我讲了什么内容？”

真奇怪，甜老师一定是穿上新衣服就健忘了，她讲过了什么自己都忘了。

“这不是很奇怪吗老师，我怎么也搞不懂还有比这更难的。”我说。

“什么？”甜老师有点儿不知所措。

“看吧，我们已经研究了这么久，所有的人都不知道为什么你的新衣服是这样的。”

“是这件衣服吗？它真的很奇怪吗？”

“对呀！因为它没有扣子！而且它不是大背心！”

于是同学们都兴奋起来：“真的是没有扣子呀，而且领口那么小，你怎么把它套上去的呢？”

“或者你是先把它套上去然后再缝起来的，对不对？”……

甜老师拿着粉笔叹了口气：“就是

zhè ge wèn tí ràng nǐ men yòng bàn táng kè qù yán jiū
这个问题让你们用半堂课去研究，
ér bú zài hu wǒ jiǎng de shì shén me nèi róng shì ma
而不在乎我讲的是什么内容，是吗？”
tián lǎo shī de shēn tǐ zài sān shí sì shuāng yǎn jing de zhù
甜老师的身体在三十四双眼睛的注
shì xià yuán dì xuán zhuǎn yì bǎi bā shí dù zhè jiù shì
视下，原地旋转一百八十度，“这就是
nǐ men yào de dá àn
你们要的答案。”

à yuán lái shì zhè yàng
啊，原来是这样！

wǒ men kàn dào le dá àn zài yī fu de bèi miàn
我们看到了答案：在衣服的背面
yǒu zhěng zhěng yì pái de kòu zi duì shí gè huò zhě
有整整一排的扣子。对，十个或者
gèng duō
更多！

shàng kè de shí hou bù néng chuān xīn yī fu yóu qí tè
上课的时候不能穿新衣服，尤其特
bié yì xiē de yī fu zhè shì tián lǎo shī zài zhè táng kè
别一些的衣服。这是甜老师在这堂课
jié shù de shí hou zǒng jié chū lái de
结束的时候总结出来的。

选班长

9月18日　星期五　太阳不知道躲到哪里去了

yī nián jí de shí hou wǒ men bān méi yǒu bān zhǎng
一年级的时候我们班没有班长。
suī rán yǒu hǎo duō tóng xué dōu pīn mìng de biǎo xiàn xiǎng dāng bān
虽然有好多同学都拼命地表现，想当班
zhǎng kě tián lǎo shī yì zhí shuō bù zháo jí kě shì jīn
长，可甜老师一直说不着急。可是今
tiān tián lǎo shī shuō dà jiā kě yǐ gōng píng jìng zhēng rán
天，甜老师说，大家可以公平竞争，然
hòu dà jiā tóu piào xuǎn jǔ bān zhǎng
后大家投票选举班长。

dà jiā dōu hěn xīng fèn jiù lián liú jiān qiáng yě xiǎng
大家都很兴奋。就连刘坚强也想
yào dāng bān zhǎng tā de shù xué nà me chà lián
要当班长。他的数学那么差，连 20 + 13
dōu bù zhī dào děng yú jǐ zěn me kě néng dāng bān zhǎng ne
都不知道等于几，怎么可能当班长呢。

wǒ zhǔn bèi le hǎo cháng shí jiān duì zì jǐ hěn yǒu
我准备了好长时间，对自己很有

信心。

每个想要当班长的人都要上台演讲。轮到我了，我走上台，大声说：“如果你们选我，我一定不会在黑板上记你们的名字，也不会到老师那儿打小报告，还会……”我故意停下来，打手势给金刚、刘坚强、王天天。

我看到甜老师在那儿不停地摇头，她为什么不看好我呢？

最后，选票最多的竟然真的是我！

甜老师的表情怪怪的，好半天都说不出来话。“那么，大家能说一说选米多的理由吗？”

朱奇奇抢着举手说：“米多总是抢着扫地！”

zhè shì zhēn de yīn wèi wǒ zhēn de
这是真的。因为我真的
hěn xǐ huan sǎo dì hái xǐ huan bǎ wū zi
很喜欢扫地，还喜欢把屋子
li nòng de wū yān zhàng qì de rán hòu hé
里弄得乌烟瘴气的，然后和
zhū qí qi yì qǐ zuān shān dòng
朱奇奇一起钻山洞。

sū lā wěi qu de chà diǎn er diào yǎn
苏拉委屈得差点儿掉眼
lèi wǒ yǐ wéi méi rén tóu mǐ duō kàn
泪："我以为没人投米多，看
tā tǐng kě lián de suǒ yǐ cái tóu tā
他挺可怜的，所以才投他。
kě shì xiàn zài wǒ hòu huǐ le
可是，现在我后悔了。"

tián lǎo shī hǎo xiàng hěn fán nǎo tā
甜老师好像很烦恼，她

shuō xuǎn jǔ bān zhǎng shì yào xuǎn yǒu néng lì yǒu
说：“选举班长，是要选有能力、有
zé rèn xīn chéng jì hǎo gěi dà jiā zuò chū bǎng yàng de
责任心、成绩好，给大家做出榜样的
tóng xué
同学。”

jīn gāng zhàn qǐ lái shuō yīn wèi mǐ duō gěi le wǒ
金刚站起来说：“因为米多给了我
yí dài qiǎo kè lì ràng wǒ xuǎn tā tā shuō wán le hái
一袋巧克力，让我选他！”他说完了还
zhuǎn guò tóu lái wèn wǒ duì le nǐ shén me shí hou gěi
转过头来问我，“对了，你什么时候给
wǒ ya kě bù néng shuō huà bú suàn shù
我呀？可不能说话不算数！”

liú jiān qiáng wáng tiān tiān yě dōu qiǎng zhe shuō wǒ qiàn tā
刘坚强、王天天也都抢着说我欠他
men yí dài qiǎo kè lì
们一袋巧克力。

tián lǎo shī de liǎn dàn qì de hóng hóng de kàn yàng
甜老师的脸蛋气得红红的。看样
zi wǒ de bān zhǎng yào pào tāng le
子，我的“班长”要泡汤了！

zuì hòu tián lǎo shī rèn mìng de bān zhǎng shì bǔ
最后，甜老师任命的班长是卜
yī méng
一萌。

检查身体

9月21日　星期一　天上的云像一床大棉被

今天甜老师告诉我们，医生要来学校给我们检查身体。

“会不会打针哪？”朱奇奇有些担心。

我也很担心。

甜老师说不打针，只是例行身体检查。

可是，检查身体的时候要脱衣服的，当着苏拉和卜一萌的面，那多不好意思呀！等到检查的时候，我才知道，原来男生和女生分别在不同的教室。

zhè ràng wǒ bú yòng nà me dān xīn le
这让我不用那么担心了。

xiān jiǎn chá shì lì yī shēng yào wǒ men wǔ zhe yì zhī yǎn jing yòng lìng yì zhī yǎn jing kàn shì lì biǎo
先检查视力。医生要我们捂着一只眼睛，用另一只眼睛看视力表。

wáng tiān tiān jiǎn chá de shí hou yī shēng zhǐ yí gè zì
王天天检查的时候，医生指一个字

mǔ wǒ men jiù zài hòu miàn zhēng qiǎng zhe dà shēng shuō
母，我们就在后面争抢着大声说：
xiàng zuǒ xiàng yòu xiàng shàng
“向左！向右！向上……”

yī shēng shuō shì jiǎn chá wáng tiān tiān de shì
医生说，是检查王天天的视
lì ràng tā yí gè rén shuō
力，让他一个人说。

yuán lái jiǎn chá shì lì yě hé kǎo shì yí
原来，检查视力也和考试一
yàng a
样啊。

liú jiān qiáng de shì lì hǎo xiàng hěn ràng rén dān
刘坚强的视力好像很让人担
xīn tā lián zuì shàng miàn de nà ge dà dōu kàn
心，他连最上面的那个大E都看
bù qīng chu yī shēng yǐ jīng lián xù gěi liú jiān qiáng
不清楚。医生已经连续给刘坚强
zhǐ le hǎo jǐ gè zì mǔ kě shì liú jiān qiáng dōu
指了好几个字母，可是刘坚强都
huí dá cuò le
回答错了。

yī shēng wèn liú jiān qiáng nǐ zhēn de kàn bù
医生问刘坚强：“你真的看不
qīng chu ma
清楚吗？”

liú jiān qiáng hěn rèn zhēn de huí dá zhēn
刘坚强很认真地回答：“真
de
的。”

后来，刘坚强偷偷告诉我们：“我偏偏就不告诉他们！”

量身高的时候，朱奇奇使劲儿地踮起脚，把身子挺得笔直。一旁的告状大王王天天大叫：“他踮脚了！”

朱奇奇气得想跳下来打王天天。

可是医生好像很喜欢爱告状的王天天，还让他站在身高尺的旁边，看谁又踮脚了。

王天天得意极了，咧着大嘴使劲儿地乐。这时候，站在旁边的医生皱着眉头看了看他，让他把嘴张开，然后医生说：“你的虫牙太多，得把洞全都填上。”

这下子，王天天真的哭了。

面包总动员

10月8日　星期四　太阳在天上得意地笑

昨天的家政课上，老师要求每个人帮妈妈做一件家务。

妈妈不喜欢我帮她擦桌子，因为我总会不小心地打碎花瓶，或者把爸爸的文件当成废纸扔掉。妈妈也不喜欢我帮她洗碗。虽然我会把碗洗得很干净，可是碗最后总会打碎几个。妈妈还不喜欢我帮她择菜、擦玻璃、拖地……

想了老半天，我决定帮妈妈做一个

dà miàn bāo
大面包。

mā ma yě xiǎng le lǎo bàn tiān zuì hòu tóng yì le
妈妈也想了老半天，最后同意了。
tā shuō zhè jiàn shì méi shén me wēi xiǎn xìng kě yǐ zuò
她说这件事没什么危险性，可以做。

shǒu xiān mā ma xiān jiāo wǒ huó miàn
首先，妈妈先教我和面。

huó miàn bú jiù shì bǎ shuǐ hé miàn huó zài yì
和面不就是把水和面和在一
qǐ ma zhè hěn jiǎn dān wǒ zuì xǐ huan wán ní
起吗，这很简单。我最喜欢玩泥
bā zuò xiǎo ní rén huó ní shì wǒ zuì shàn cháng
巴，做小泥人，和泥是我最擅长
de zhǐ bú guò ní bā shì hēi de miàn shì
的。只不过泥巴是黑的，面是
bái de
白的。

zhèng qiǎo zhè shí hou mā
正巧这时候妈
ma yào qù jiē yí gè diàn
妈要去接一个电
huà mā ma yì biān jiē diàn
话，妈妈一边接电
huà yì biān gào su wǒ
话一边告诉我：
chóu le jiā shuǐ xī le
“稠了加水，稀了
jiā miàn
加面！”

zhè xiē miàn hái shi hěn nán duì fu de　yí huì er
这些面还是很难对付的。一会儿

miàn gān le　wǒ jiā shuǐ　kě shuǐ yòu fàng duō le　wǒ zhǐ
面干了，我加水；可水又放多了，我只

hǎo zài wǎng lǐ miàn jiā miàn　zhè yàng fǎn fǎn fù fù de zhē teng
好再往里面加面，这样反反复复地折腾

le hǎo duō cì　děng dào wǒ zhōng yú bǎ miàn huó hǎo de shí
了好多次。等到我终于把面和好的时

hou　jiā lǐ suǒ yǒu de miàn dōu zài xǐ zǎo pén li le
候，家里所有的面都在洗澡盆里了！

méi cuò　jiù shì xǐ zǎo pén　yīn
没错，就是洗澡盆。因

wèi yí dà dài zi de miàn fěn　zhǐ yǒu
为一大袋子的面粉，只有

yòng xǐ zǎo pén cái néng zhuāng de xià
用洗澡盆才能装得下！

wǒ lèi huài le　wǒ jué de zì jǐ
我累坏了，我觉得自己

bú shì zài huó miàn　ér shì zài　zuò mián
不是在和面，而是在“做棉

bèi　ér qiě miàn tuán kàn qǐ lái zhēn de
被”。而且面团看起来真的

hé mián bèi yí yàng dà　zhè tài kě pà
和棉被一样大。这太可怕

le　ér qiě　wǒ de quán shēn dōu zhān
了！而且，我的全身都沾

mǎn le miàn fěn　xiàng gè xiǎo miàn rén
满了面粉，像个小面人。

mā ma xià huài le　tā hěn hòu huǐ
妈妈吓坏了，她很后悔

去接电话。于是，妈妈不得不做了一锅又一锅的面包。

我数了数，一共一百二十二个面包。

所以，今天上学的时候，我给全班三十四个同学加上甜老师每个人带了一个大面包。

“太棒了，这么香的面包！”朱奇奇一边大嚼一边称赞道。

“唉，千万别再提什么面包了。”我叹了一口气，“我每天都要吃三顿面包，而且家里还剩下一大堆面包没吃完呢，妈妈说都是留给我的。什么时候吃完了什么时候才允许吃别的东西！”

真是太不公平了，怎么能让一个八岁的小孩上顿下顿地吃面包呢？

罚 站

10月16日　星期五　乌云密布

我今天又被甜老师罚站了。因为我赢了。

下课的时候，我和朱奇奇比赛扔鞋子，看谁扔得远。

比赛之前，我们先得评出谁的鞋子最臭。因为一会儿要扔的就是最臭的那双鞋子。我先闻了一下朱奇奇的球鞋，太臭了！我觉得自己快被熏晕过去了。可是，朱奇奇非说我的鞋子更臭。

他说他快吐了。

本来我们还想请苏拉当裁判，帮我们闻一闻，可是苏拉却捂着鼻子躲得远远的，好像我们变成了可怕的蟑螂。

既然我们两个人鞋子的臭味不相上下，那就先扔我的，再扔朱奇奇的。

先是朱奇奇扔我的鞋子。他的劲儿可真大，眼看我的鞋子像只鸟儿一样飞了出去，一直飞到单杠边上。朱奇奇叹了口气，他说本来他瞄准的目标是

xiào zhǎng bàn gōng shì
校长办公室。

duō kuī xiào zhǎng bàn gōng shì zài sān lóu
多亏校长办公室在三楼。

lún dào wǒ le
轮到我了。

wǒ de mù biāo shì nǎ lǐ ne shù shang de nà zhī niǎo wō fáng dǐng shang qiáng jiǎo de nà zhī lā jī xiāng
我的目标是哪里呢？树上的那只鸟窝？房顶上？墙角的那只垃圾箱？……

zuì hòu wǒ bǎ mù biāo dìng zài le bù yuǎn chù de nà ge shuǐ kēng
最后，我把目标定在了不远处的那个水坑。

yù bèi miáo zhǔn rēng
预备！瞄准！扔！

xié zi yí xià zi fēi le chū qù fēi ya fēi ya
鞋子一下子飞了出去，飞呀飞呀，
zhèng hǎo luò zài nà ge shuǐ kēng li tài bàng le rú guǒ
正好落在那个水坑里。太棒了！如果
ào yùn huì yǒu rēng xié zi de xiàng mù wǒ kěn dìng shì
奥运会有扔鞋子的项目，我肯定是
guàn jūn
冠军。

kě shì zhū qí qi hěn shēng qì tā shuō wǒ gù yì
可是，朱奇奇很生气，他说我故意
bǎ tā de xié zi rēng jìn shuǐ kēng li wǒ zhēn de shì gù
把他的鞋子扔进水坑里。我真的是故
yì de kě shì méi xiǎng dào huì zhè me zhǔn
意的。可是没想到会这么准。

yú shì tā xiàng tián lǎo shī gào zhuàng shuō wǒ móu hài
于是，他向甜老师告状，说我谋害
tā de xié zi
他的鞋子。

jiù zhè yàng wǒ bèi tián lǎo shī fá zhàn le
就这样，我被甜老师罚站了。

fàng xué de shí hou wǒ hé zhū qí qi hé hǎo le
放学的时候，我和朱奇奇和好了。
yīn wèi xié zi shī le suǒ yǐ zhū qí qi xiàng zhī tù zi yí
因为鞋子湿了，所以朱奇奇像只兔子一
yàng yí bèng yí tiào de huí jiā qù le
样，一蹦一跳地回家去了。

打哈欠课

10月27日　星期二　一下子降温十几度

jīn tiān shàng kè de shí hou wǒ dǎ le yí gè cháng
今天上课的时候，我打了一个长

cháng cháng cháng de hā qian ér qiě shēng yīn hěn dà
长长长的哈欠。而且声音很大。

ā hā
“啊——哈——”

hā qian hǎo xiàng néng chuán rǎn wǒ dǎ wán le hǎo duō
哈欠好像能传染。我打完了，好多

tóng xué yě gēn zhe dǎ qǐ lái
同学也跟着打起来。

ā hā
“啊——哈——”

zhū qí qi jǐn suí qí hòu rán hòu shì jīn gāng liú
朱奇奇紧随其后，然后是金刚、刘

jiān qiáng lián hǎo hái zi sū lā yě bú lì wài zuì zuì
坚强。连好孩子苏拉也不例外。最最

kě pà de shì tián lǎo shī yě rěn bú zhù dǎ qǐ hā qian
可怕的是，甜老师也忍不住打起哈欠

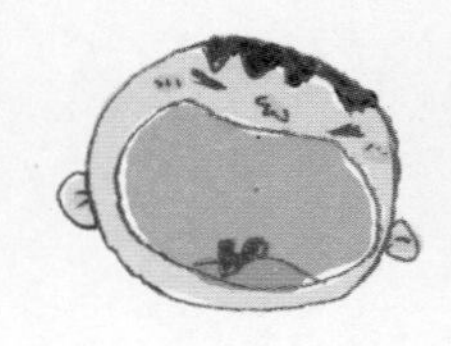

lái suī rán tā pīn mìng de wǔ zhù zuǐ ba kě hā

来。虽然她拼命地捂住嘴巴，可哈

qian hái shi zuān chū lái le

欠还是钻出来了。

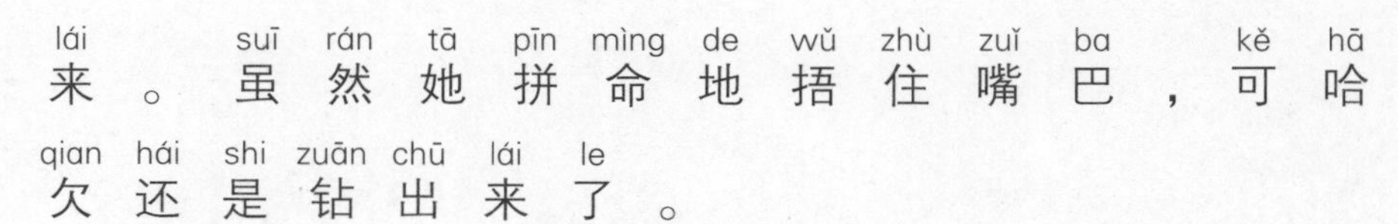

kě shì wǒ zhēn de bú shì gù yì de ya

可是，我真的不是故意的呀。

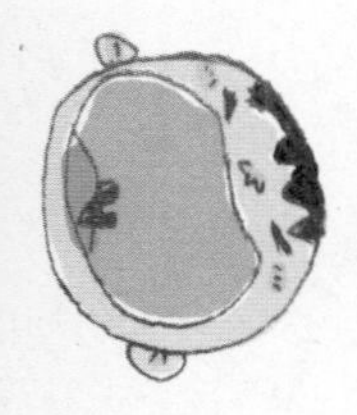

wǒ xiàng tián lǎo shī dào qiàn shuō duì bu qǐ qīn ài

我向甜老师道歉说：“对不起，亲爱

de lǎo shī wǒ zhēn de zhēn de rěn bú zhù wa

的老师，我真的，真的忍不住哇！”

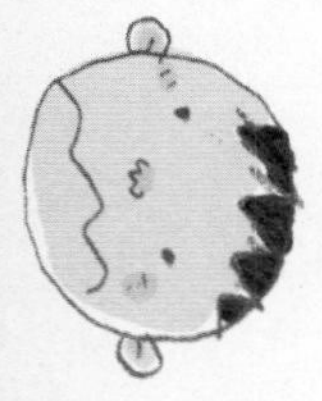

tián lǎo shī yě méi yǒu bàn fǎ yīn wèi tā bù

甜老师也没有办法，因为她不

néng zài wǒ zhāng zuǐ dǎ hā qian de shí hou yòng shǒu wǔ

能在我张嘴打哈欠的时候，用手捂

zhù wǒ de zuǐ ba huò zhě tiē shàng yí gè dà dà de

住我的嘴巴，或者贴上一个大大的

chuāng kě tiē

创可贴。

děng wǒ dǎ wán hā qian tián lǎo shī jì xù

等我打完哈欠，甜老师继续

jiǎng kè

讲课。

kě shì tián lǎo shī gāng jiǎng le liǎng jù huà wǒ

可是，甜老师刚讲了两句话，我

yòu dǎ le yí gè cháng cháng cháng cháng de hā qian

又打了一个长长长长的哈欠。

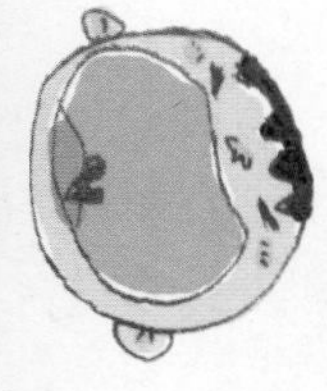

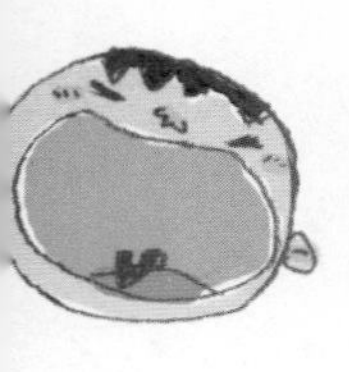

“啊——哈——”

等哈欠传染完，甜老师差点儿忘记讲到哪儿了。

过了一会儿，第三个哈欠又来了。

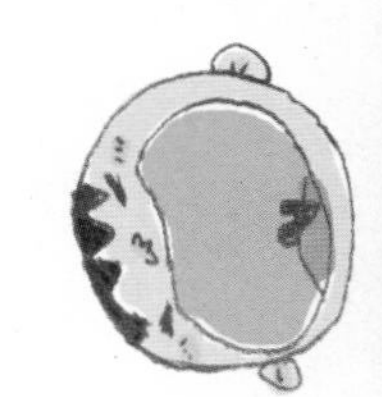

甜老师放下课本，带着神秘的笑容对大家说：“现在，我们……”甜老师顿了顿。

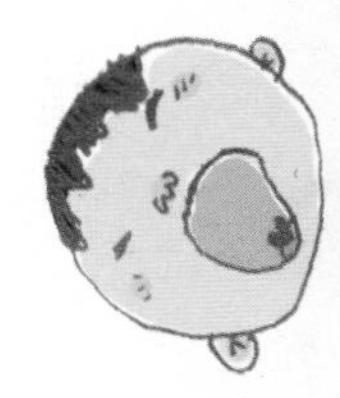

我又开始锻炼腮帮子的肌肉，希望一会儿再打一个超大无比的哈欠。

“现在，我们开始打哈欠吧！”甜老师不紧不慢地说道。

wǒ běn lái yǐ jīng zhǔn bèi hǎo de hā qian bèi yìng shēng
我本来已经准备好的哈欠被硬生
shēng de yàn le xià qù yǎn lèi chà diǎn er bèi yē chū lái
生地咽了下去，眼泪差点儿被噎出来。

zhēn qí guài jìng rán kě yǐ shàng yì táng dǎ hā qian de kè
真奇怪，竟然可以上一堂打哈欠的课。

dà jiā kāi shǐ shǐ jìn er shǐ jìn er de zhāng dà zuǐ
大家开始使劲儿使劲儿地张大嘴。

ā hā
“啊——哈——”

ā hā
“啊——哈——”

ā hā
“啊——哈——”

shēng yīn xiǎng liàng wú bǐ yí huì er gōng fu dà jiā
声音响亮无比。一会儿工夫，大家
de yǎn lèi dōu liú mǎn le yì liǎn
的眼泪都流满了一脸。

kě shì jǐn jǐn guò le shí fēn zhōng jiù méi yǒu yí
可是，仅仅过了十分钟，就没有一
gè rén zài xiǎng yào dǎ shén me hā qian le bù xiǎng dǎ hā
个人再想要打什么哈欠了。不想打哈
qian què pīn mìng zhāng dà zuǐ ba zhēn shi hěn lèi rén
欠却拼命张大嘴巴，真是很累人。

zhēn méi yì si
真没意思！

wǒ tū rán fā xiàn yuán lái shì jiè shàng zuì méi yì si
我突然发现，原来世界上最没意思
de kè jiù shì dǎ hā qian kè
的课就是打哈欠课。

办报纸

10月30日　星期五　云彩在天上遛弯儿

甜老师布置的周末作业是制作一张小报，题目是《小小设计师》，让我们发挥想象，怎么做都可以，不过内容要与数学有关。

我想办一张很特别的报纸。可是，想了好几个方案，都觉得不是很好。后来，突然想到现在是秋天，树叶都落下来了。于是，我捡了好多树叶，贴在上面。因为要和数学有关，我贴了十片树叶后，出了一道数学题：3+7=？12-2=？

我刚刚写完，“一塌糊涂”就跑过来，在数学题上面尿了一泡尿。这下子，3+7=一塌糊涂的尿了。

好不容易才做完的报纸，现在变得臭烘烘的。“一塌糊涂”知道自己闯了祸，一头钻进床底下不出来。怎么办？还得重做一张。

我懒得再贴树叶了，只是用亮光笔画了一些各种各样的花，然后在旁边出了一道数学题：两棵树之间相隔五米，小明从第一

棵树跑到第九棵树，一共跑了多少米？

5 × 8=49（米）答：小明一共跑了49米。

去校长室探险

11月4日　星期三　大风在叫

我们学校的校长是一个有些秃顶的小老头儿，干巴巴的，看起来一点儿也不起眼，可是，所有的老师都怕他。他成天板着个脸，不会笑。他到哪班听课，讲课老师的声音都会发抖。于是，校长室就成了全校最神秘最可怕的地方。

里面到底藏着什么？校长每天在里面干些什么？……连续几天，我已经被这些问题搅得连吃牛肉干都不香了。

今天一下课，我就找到朱奇奇、金刚，商量一起到校长室探险。

“校长室？你疯了吗？”朱奇奇尖叫起来。

金刚也说这是很危险很危险的事情：“如果被校长发现，说不定他会拧断我们的脖子。”

“难道，你们真的不想知道校长室里藏着的秘密吗？”我还是不死心。

他们两个犹豫了十秒钟，还是忍不住答应一起去。

校长室在三楼。我们来到校长室门口，紧张得心都快蹦出来了。校长室的门关得紧紧的，只能从窗户上面望进去。可是窗户太高了。这时候，我想出

le yí gè zuì tiān cái de hǎo zhǔ yi dié luó hàn
了一个最天才的好主意：叠罗汉。

jīn gāng zhàn zài zuì xià miàn zhū qí qi qí zài tā de
金刚站在最下面，朱奇奇骑在他的
bó zi shang wǒ qí zài zhū qí qi de bó zi shang
脖子上，我骑在朱奇奇的脖子上。

chuāng hu tài gāo le hái chà nà me yì diǎn diǎn
窗户太高了，还差那么一点点。

zài gāo diǎn er zài gāo diǎn
“再高点儿，再高点
er wǒ mìng lìng zhū
儿。”我命令朱
qí qi
奇奇。

zhū qí qi yáo yáo
朱奇奇摇摇
huàng huàng de hái shi bú
晃晃的，还是不
gòu gāo
够高。

kuài zài jiān chí yí huì
“快！再坚持一会
er wǒ gǔ lì zhū qí qi kě shì
儿！”我鼓励朱奇奇，可是

“梯子”还是在抖来抖去。

我马上就要看到窗子里面了。我抓住窗栏杆，拼命地往里面探头。我终于看到了！校长室里面有……

可是，紧接着，我感觉身体好像悬在半空中了，在底下托着我的朱奇奇哪儿去了？金刚哪儿去了？

我紧紧抓住窗栏杆，就像风筝挂在树枝上一样。

“救命呀！”我大叫。

校长冲出校长室，他张着双手把我从窗户上抱下来，看起来他很紧张：“你在干什么？”

我告诉他：“我只是挂在这里。”

校长室的秘密

11月5日　星期四　太阳出来了

因为昨天我“挂”在校长室的窗户上，所以，今天我成了全校的名人。邻班的老师竟然专门到我们教室来看我：“就是这小子吗？昨天挂在校长室？”

甜老师想笑又憋着的样子看起来真难受。她指着我，突然“扑哧”笑出声来。然后一直笑哇笑，肯定笑了一万分钟。

xiǎo yā tou sū lā dì yī cì gēn zhe pì gu wèn wǒ
小丫头苏拉第一次跟着屁股问我：
gěi wǒ jiǎng jiang bei nǐ shì zěn me guà zài xiào zhǎng shì
“给我讲讲呗，你是怎么挂在校长室
chuāng hu shang de
窗户上的？”

wǒ gù yì bú gào su tā ràng tā zháo jí
我故意不告诉她，让她着急。

liú jiān qiáng hǎo xiàng hěn hòu huǐ wèi shén me méi gēn zhe
刘坚强好像很后悔为什么没跟着
wǒ men yì qǐ qù tā shuō tā zuì xiǎng chū míng le kě wǒ
我们一起去，他说他最想出名了。可我
yì diǎn er yě bù xiǎng chū míng
一点儿也不想出名。

zhū qí qi shuō wǒ yào shi zài bú gào su tā xiào zhǎng
朱奇奇说我要是再不告诉他校长
shì li de mì mì jiù hé wǒ jué jiāo
室里的秘密，就和我绝交。

kě shì xiào zhǎng shì li zhēn de méi yǒu shén me
可是，校长室里真的没有什么
ya méi yǒu rén xiāng xìn tā men dōu shuō wǒ xiǎo qi
呀。没有人相信。他们都说我小气。
jīn gāng shuō tā yòng shí dài niú ròu gān huàn xiào zhǎng shì de
金刚说他用十袋牛肉干换校长室的
mì mì
秘密。

hǎo ba wǒ gào su tā xiào zhǎng shì li hěn kě
好吧。我告诉他，校长室里很可
pà dì shang pá zhe gè zhǒng gè yàng kě pà de chóng zi kěn
怕，地上爬着各种各样可怕的虫子，肯

dìng dōu yǒu dú，yòng lái duì fu táo qì hái zi
定都有毒，用来对付淘气孩子
de。hái yǒu yí gè mì shì，zhǐ yào yí àn mì
的。还有一个密室，只要一按秘
mì kāi guān jiù néng kāi qǐ，lǐ miàn cáng zhe
密开关就能开启，里面藏着……

jiǎng dào zhè er de shí hou，wǒ tíng xià lái，
讲到这儿的时候，我停下来，
yīn wèi wǒ hái méi biān hǎo ne。
因为我还没编好呢。

kě shì wáng tiān tiān shuō tā yào yòng wǔ gēn bàng
可是王天天说他要用五根棒
bàng táng huàn xià miàn de mì mì。
棒糖换下面的秘密。

nà hǎo ba。wǒ zhǐ hǎo jì xù biān xià
那好吧。我只好继续编下
qù
去……

děng fàng xué de shí hou，wǒ de shū bāo lǐ
等放学的时候，我的书包里
miàn yǐ jīng duō le shí dài niú ròu gān、wǔ gēn bàng
面已经多了十袋牛肉干、五根棒
bàng táng、sān dài tiào tiào táng、yì zhī xiǎo shuǐ qiāng、
棒糖、三袋跳跳糖、一只小水枪、
liù zhī qiān bǐ、liǎng kuài xiāng xiàng pí
六支铅笔、两块香橡皮……

dà jiā dōu hěn mǎn yì。wǒ yě hěn mǎn
大家都很满意。我也很满
yì。suī rán wèi le biān zhè ge gù shi wǒ lèi huài
意。虽然为了编这个故事我累坏

le kě shì shōu huò hái shi hěn dà de
了，可是，收获还是很大的。

yě xǔ wǒ yīng gāi bǎ zhè ge gù shi xiě chéng yì běn shū rán hòu qù mài shū de míng zi jiù jiào xiào zhǎng shì de mì mì
也许我应该把这个故事写成一本书，然后去卖，书的名字就叫“校长室的秘密”。

兑 奖

11月13日　星期五　天阴沉着脸，不高兴了

jīn tiān zhēn shì gè lìng rén gāo xìng de rì zi tián lǎo
今天真是个令人高兴的日子，甜老
shī yào gěi wǒ men duì xiàn jiǎng pǐn le
师要给我们兑现奖品了。

píng shí shàng kè de shí hou tián lǎo shī huì gēn jù wǒ
平时上课的时候，甜老师会根据我
men měi gè rén de biǎo xiàn jiǎng lì xiǎo zhān tiē gòu yí dìng
们每个人的表现，奖励小粘贴，够一定
de shù é jiù kě yǐ yòng xiǎo zhān tiē duì huàn chéng shí wù jiǎng
的数额就可以用小粘贴兑换成实物奖
pǐn kě shì tián lǎo shī yì zhí bú gào su wǒ men jiǎng pǐn
品。可是，甜老师一直不告诉我们奖品
shì shén me ràng wǒ men yòu jǐn zhāng yòu xīng fèn de qī
是什么，让我们又紧张又兴奋地期
dài zhe
待着。

jīn gāng shuō shì yì zhī biàn xíng jīn gāng ba
金刚说：“是一只变形金刚吧？”

“不可能，”朱奇奇说，“甜老师才不会奖励玩具给我们呢。肯定是学习用品。”

刘坚强希望是一只小狗，最好像“一塌糊涂”那样汪汪叫的小狗。

那也不可能。

苏拉最没有想象力，她说也许是文具盒。她应该喜欢会哭会笑的芭比娃娃才对呀。

我希望是一大袋牛肉干。

苏拉的小粘贴最多，一共十七个。我只有四个。一个是因为我的作业写得干净，一个是因为我整整一天上课都没乱说话。其实那天我和朱奇奇打赌，看谁一天不说话。还有一个是因为我

bāng zhù wáng tiān tiān zhí rì zuì
帮助王天天值日。最
hòu yí gè shì yīn wèi wǒ jiǎn dào
后一个是因为我捡到
shū bāo jiāo gěi lǎo shī hòu lái fā
书包交给老师。后来发
xiàn zhè ge shū bāo shì wǒ zì
现这个书包是我自
jǐ de
己的。

bú guò xiǎng yào dé dào xiǎo
不过，想要得到小
zhān tiē tài nán le
粘贴太难了。

wáng tiān tiān měi tiān dōu jiǎn dào
王天天每天都捡到
wǔ kuài qián shàng jiāo gěi tián lǎo shī zhēn qí guài wèi shén
五块钱，上交给甜老师。真奇怪，为什
me wǒ men jiù bù néng měi tiān dōu jiǎn dào qián ne wáng tiān
么我们就不能每天都捡到钱呢？王天
tiān zhēn shi tài xìng yùn le hòu lái wǒ men cái zhī dào yuán
天真是太幸运了！后来我们才知道，原
lái wáng tiān tiān měi tiān hé mā ma yào de wǔ kuài qián tián
来王天天每天和妈妈要的五块钱。甜
lǎo shī shuō bù néng wèi le zuò hǎo shì ér zuò hǎo shì bú dàn
老师说不能为了做好事而做好事，不但
shōu huí le xiǎo zhān tiē hái pī píng le wáng tiān tiān
收回了小粘贴，还批评了王天天。

xiàn zài tián lǎo shī zhōng yú zǒu jìn jiào shì le
现在，甜老师终于走进教室了。

tā de shǒu li ná zhe de jiǎng pǐn jìng rán shì wén
她的手里拿着的奖品，竟然是文
jù hé
具盒！

bú guò shí gè yǐ shàng de xiǎo zhān tiē cái kě yǐ huàn
不过，十个以上的小粘贴才可以换
yí gè wén jù hé sì gè xiǎo zhān tiē zhǐ kě yǐ huàn yí kuài
一个文具盒，四个小粘贴只可以换一块
xiàng pí
橡皮。

sū lā pěng zhe wén jù hé de shí hou xiàng pěng zhe yí
苏拉捧着文具盒的时候，像捧着一
gè bǎo bèi wǒ xiǎng mō yí xià dōu bù xíng yǒu shén me liǎo
个宝贝，我想摸一下都不行。有什么了

bu qǐ de míng tiān wǒ ràng mā ma gěi wǒ mǎi yí gè yì mú
不起的，明天我让妈妈给我买一个一模
yí yàng de
一样的！

fàng xué de shí hou zhū qí qi xiǎng wén yí xià wǒ de
放学的时候，朱奇奇想闻一下我的
xiāng xiàng pí wǒ jí máng bǎ xiàng pí cáng zài shǒu xīn li
香橡皮，我急忙把橡皮藏在手心里。

zhè kě bú shì pǔ tōng de xiàng pí shì wǒ de jiǎng
这可不是普通的橡皮，是我的奖
pǐn nǎ néng ràng bié ren suí biàn mō ne
品，哪能让别人随便摸呢！

家长开放日

11月26日　星期四　冷风一个劲儿地往我衣服里钻

jīn tiān shì jiā zhǎng kāi fàng rì， bà ba mā ma kě yǐ
今天是家长开放日，爸爸妈妈可以
péi wǒ men yì qǐ shàng kè。
陪我们一起上课。

wǒ xǐ huan bà ba lái。yīn wèi bà ba bú huì xiàng
我喜欢爸爸来。因为爸爸不会像
mā ma yí yàng， měi cì tīng wán kè dōu láo láo dāo dāo gè méi
妈妈一样，每次听完课都唠唠叨叨个没
wán， shuō wǒ bù yīng gāi shàng kè de shí hou bǎ tóu zhuàn lái zhuàn
完，说我不应该上课的时候把头转来转
qù， bù yīng gāi zài kè táng shang zhé zhǐ， bù yīng gāi bù jǔ
去，不应该在课堂上折纸，不应该不举
shǒu jiù shuō huà， bù yīng gāi…… fǎn zhèng jiù shì hǎo duō gè
手就说话，不应该……反正就是好多个
bù yīng gāi。
不应该。

suǒ yǐ， jiā zhǎng kāi fàng rì yīng gāi gǎi chéng bù yīng
所以，家长开放日应该改成不应

该日。

可是，今天还是妈妈来。我告诉自己，一定要管好自己的手、脚、头，不要动来动去。脚指头除外，反正它动来动去妈妈也看不到。

先是语文公开课。本来我听得很认真，都怪那只该死的苍蝇，它一直不停地和我捣乱。后来，它落在了苏拉的辫子上。我可不能让它把这堂课破坏掉，于是，我拿书狠狠地拍向它……

苏拉吓了一大跳，然后趴在桌子上哭了起来。那只该死的苍蝇却不见了。

因为妈妈在后面坐着，所以，甜老师没让我罚站，只是让我专心听课。我回头看妈妈，发现妈妈的脸红得像个大灯笼，头低得快钻进桌子里了。

然后是美术公开课。老师让我们画自己的妈妈。妈妈就坐在后面，照着画就成了。

苏拉画的妈妈，头发卷卷的，像个洋娃娃，一点儿也不像她真的妈妈。

我决定画一张最像妈

ma de huà sòng gěi mā ma
妈的画，送给妈妈。

xiān huà yí gè yuán yuán de nǎo dai liǎn shang yǒu liǎng
先画一个圆圆的脑袋。脸上有两
zhī dèng de yuán liū liū de yǎn jing yīn wèi mā ma zǒng shì
只瞪得圆溜溜的眼睛。因为妈妈总是
dèng zhe yǎn jing jiào xun wǒ
瞪着眼睛教训我。

hái yǒu yì zhāng dà zuǐ xiàng wū pó yí yàng de dà
还有一张大嘴。像巫婆一样的大
zuǐ ba zǒng shì bù tíng bù tíng de láo dao
嘴巴，总是不停不停地唠叨。

…………

zhōng yú huà wán le wǒ bǎ huà jǔ de gāo gāo de
终于画完了！我把画举得高高的，
gěi zuò zài hòu miàn de mā ma kàn
给坐在后面的妈妈看。

kě shì wèi shén me páng biān de mā ma men dōu xiào de
可是，为什么旁边的妈妈们都笑得
zhí bù qǐ yāo ne wèi shén me zhǐ yǒu wǒ de mā ma kàn
直不起腰呢？为什么只有我的妈妈看
qǐ lái bù gāo xìng
起来不高兴？

外号课

12月1日　星期二　太阳不知道溜哪儿玩去了

上课的时候，我很生气。就是因为太生气了，所以，连甜老师讲什么都没听见。直到甜老师提问我。

我回答不上来。

可是，这都是因为有人给我起外号，叫我“跑调虫”。我是米多，不是跑调虫，就算我真的唱歌跑调！

甜老师问我，是谁给我起外号。

我告诉她，是“告状大王”王

tiān tiān
天天！

tián lǎo shī pāi pai shǒu shang de fěn bǐ huī tíng dùn le
甜老师拍拍手上的粉笔灰，停顿了
yí xià rán hòu gào su dà jiā xiàn zài wǒ men yào shàng yì
一下，然后告诉大家，现在我们要上一
táng wài hào kè
堂外号课。

wài hào kè
外号课？

jiù shì wài hào kè
就是外号课。

tián lǎo shī ràng dà jiā jìn qíng xiǎng xiàng gěi xué xiào suǒ
甜老师让大家尽情想象，给学校所
yǒu de rén huò zhě dōng xi qǐ wài hào bāo kuò xiào zhǎng yí
有的人或者东西起外号，包括校长。一
dìng yào xiǎng xiàng fēng fù ér qiě yào tiē qiè xíng xiàng
定要想象丰富，而且要贴切形象。

sū lā yǒu le wǔ gè wài hào xiǎo kū bāo jiāo pí
苏拉有了五个外号：小哭包、胶皮
wá wa wān dòu gōng zhǔ
娃娃、豌豆公主……

wǒ yǒu le bā gè wài hào pǎo diào gǒu dà zuǐ
我有了八个外号：跑调狗、大嘴
ba chuī niú há ma
巴、吹牛蛤蟆……

tián lǎo shī yǒu le shí gè wài hào dà píng guǒ tián
甜老师有了十个外号：大苹果、甜
nǎi yóu hán xiū cǎo
奶油、含羞草……

起先我们都觉得很好玩，很高兴地给别人起外号。可是，起着起着，就感觉没意思了。脑子想一个外号还行，两个外号也可以，可是要想二十个、三十个外号，实在太累了。最后，我们起得连自己都头晕了。可是，甜老师还是

逼着我们每个人再给别人至少起十个外号。

终于下课了。我们都累坏了。我发誓再也不给别人起外号了。起外号实在太累了，比写一百篇作文还累。

给别人起外号真是世界上最无聊的事。

想长大的一百个方法

12月19日　星期六　云彩像个大棉花团

我想长大，长得很大很大，像巨人一样大，不对不对，是比巨人还要大！

因为金刚比我高半个头。他老是笑话我是小豆包，一打一蹦高。排队的时候，我总是排在后面。甜老师总表扬我不和金刚打架，其实不是我不想和他打，而是知道自己打不过他。

我下决心，一定要在很短的时间内长得很高很高！

我揪着自己的头发，使劲儿往上提；我抻自己的胳膊腿儿，希望它们长得更长一些；我给自己的头浇水，一直浇成一个落汤鸡；我穿上爸爸的皮鞋，像大人一样走路……

这一切都没使我长得更大一点儿。

“真的没有吗？”我不相信地问朱奇奇，“哪怕只是大了一点点也行，就一个小手指那么大也行。”

“没有。真的没有。”朱奇奇老老实实地回答。

我很泄气地坐在地上。

“妈妈说，吃很多的胡萝卜可以长大。”朱奇奇突然想到一个主意。

“真的吗？”我很兴奋。虽然胡萝卜真的很难吃。

听说我要吃胡萝卜，妈妈很高兴：“胡萝卜营养

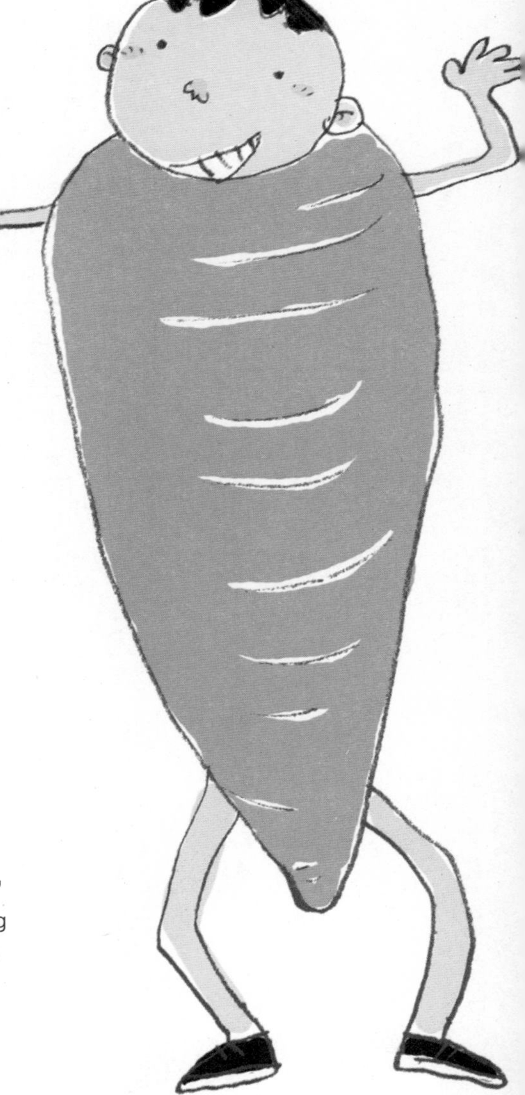

fēng fù huì shǐ nǐ zhǎng de hěn gāo hěn zhuàng de wǒ tīng
丰富，会使你长得很高很壮的。”我听
le mā ma de huà gāo xìng jí le
了妈妈的话，高兴极了。

yì gēn liǎng gēn sān gēn
一根，两根，三根……

nǐ zhēn xiàng yì zhī tù zi zhū qí qi kàn zhe
“你真像一只兔子。”朱奇奇看着
wǒ yì gēn jiē yì gēn de chī hú luó bo hěn chī jīng
我一根接一根地吃胡萝卜，很吃惊。

zhǐ yǒu wǒ zì jǐ zhī dào dì yī gēn hú luó bo de
只有我自己知道，第一根胡萝卜的
wèi dào hái bú cuò dì èr gēn yě còu he dì sān gēn
味道还不错，第二根也凑合，第三根
ma wǒ jué de ě xin jí le bǐ chī cāng ying de gǎn jué
嘛，我觉得恶心极了，比吃苍蝇的感觉
hái nán shòu dàn shì wǒ hái shi pīn mìng de bǎ dì wǔ gēn
还难受。但是，我还是拼命地把第五根
hú luó bo sāi jìn dù zi li
胡萝卜塞进肚子里。

chī wán zhī hòu wǒ yì diǎn er yě méi jué de zì jǐ
吃完之后，我一点儿也没觉得自己
zhǎng gāo le
长高了。

hú luó bo chī duō le zhēn de huì zhǎng gāo ma
“胡萝卜吃多了真的会长高吗？”
wǒ yǒu qì wú lì de shuō wǒ zěn me jué de wǒ xiàng yào
我有气无力地说，“我怎么觉得我像要
shēng bìng le shì de
生病了似的。”

jié guǒ wǒ zhēn de shēng bìng le yīn wèi wǔ gēn hú
结果，我真的生病了。因为五根胡
luó bo
萝卜。

wǒ de tiān na nǐ chī tài duō le mā ma
“我的天哪！你吃太多了！”妈妈
ná zhe yí dà duī de yào duì wǒ shuō
拿着一大堆的药对我说。

kě shì nǐ shuō chī hú luó bo huì zhǎng gāo zhǎng zhuàng
“可是你说吃胡萝卜会长高长壮
ya wǒ dì bā cì cóng cè suǒ pǎo chū lái duì mā
呀。”我第八次从厕所跑出来，对妈
ma shuō
妈说。

wǒ shì shuō měi tiān chī yì xiē hú luó bo huì zhǎng gāo
“我是说每天吃一些胡萝卜会长高
zhǎng zhuàng kě méi shuō yí cì chī wǔ gēn hú luó bo
长壮，可没说一次吃五根胡萝卜。”

āi
“唉……”

zhǎng gāo zhǎng dà de fāng fǎ hái yǒu shén me ne
长高长大的方法还有什么呢？

爸爸是圣诞老人

12月25日　星期五　我的鼻涕都被冻出来了

圣诞节，会有一个胖乎乎戴着红帽子的圣诞老人来送礼物吗？他会骑着驯鹿，坐着会飞的雪橇。

妈妈说，圣诞老人只给好孩子送礼物。

我就是好孩子。妈妈说我只要稍微安静那么一小会儿，考试成绩

shāo wēi gāo nà me yì xiǎo diǎn er xiǎo nǎo dai
稍微高那么一小点儿，小脑袋
guā zi li shāo wēi shǎo yì xiǎo diǎn er de hú sī
瓜子里稍微少一小点儿的胡思
luàn xiǎng wǒ jiù shì yí gè hǎo hái zi fǎn
乱想……我就是一个好孩子。反
zhèng zhǐ chà nà me yì xiǎo diǎn diǎn yòu bú chà
正只差那么一小点点，又不差
hěn duō suǒ yǐ wǒ jué de wǒ jiù shì yí gè
很多，所以，我觉得我就是一个
hǎo hái zi
好孩子。

jīn nián de shèng dàn jié wǒ xiǎng dé dào yí
今年的圣诞节我想得到一
gè zuì xīn xíng de biàn xíng jīn gāng wèi le zhè
个最新型的变形金刚。为了这
ge yuàn wàng wǒ zǎo zǎo jiù bǎ wà zi zhǔn bèi
个愿望，我早早就把袜子准备
hǎo le biàn xíng jīn gāng hěn dà yì bān de
好了。变形金刚很大，一般的
wà zi kěn dìng zhuāng bú xià zhè kě nán bù dǎo
袜子肯定装不下。这可难不倒
wǒ wǒ tōu tōu bǎ mā ma de cháng tǒng sī wà
我。我偷偷把妈妈的长筒丝袜
guà zài wǒ de chuáng tóu guì shang
挂在我的床头柜上。

wǒ zài shuì jiào qián gù yì dà shēng tí xǐng bà
我在睡觉前故意大声提醒爸
ba mā ma shèng dàn lǎo rén bié wàng le sòng lǐ wù
爸妈妈：圣诞老人别忘了送礼物！

bà ba mā ma liǎng gè rén duì kàn le yì yǎn tōu tōu
爸爸妈妈两个人对看了一眼，偷偷
de xiào gè bù tíng wǒ zhī dào tā men zài xiào shén me yí
地笑个不停。我知道他们在笑什么，一
dìng zài xiào wǒ tài yòu zhì
定在笑我太幼稚。

qí shí wǒ zǎo jiù zhī dào shì jiè shang gēn běn méi yǒu
其实，我早就知道世界上根本没有
shèng dàn lǎo rén méi yǒu xùn lù méi yǒu huì fēi de xuě
圣诞老人、没有驯鹿、没有会飞的雪
qiāo zhì shǎo zài dì qiú shang méi yǒu nà dōu shì mā ma
橇。至少在地球上没有。那都是妈妈
hǒng wǒ de tóng huà gù shi kě shì zhè yì diǎn er yě bù
哄我的童话故事。可是，这一点儿也不
dān wu wǒ dé dào shèng dàn lǐ wù wǒ hái zhī dào měi yì
耽误我得到圣诞礼物。我还知道，每一
nián shèng dàn jié de qián yí gè wǎn shang bà ba dōu huì tōu tōu
年圣诞节的前一个晚上，爸爸都会偷偷
de pǎo dào wǒ de wū zi li gěi wǒ de wà zi li zhuāng
地跑到我的屋子里，给我的袜子里装
shàng lǐ wù zhǐ yào yǒu lǐ wù bù guǎn shì shèng dàn lǎo rén
上礼物。只要有礼物，不管是圣诞老人
sòng de hái shi bà ba sòng de dōu hǎo
送的还是爸爸送的，都好。

kě shì wǒ bù néng gào su bà ba mā ma zhè ge mì
可是，我不能告诉爸爸妈妈这个秘
mì fǒu zé jiù méi yǒu lǐ wù le suǒ yǐ jiù ràng bà
密，否则就没有礼物了。所以，就让爸
ba mā ma yì zhí dōu yòu zhì xià qù ba
爸妈妈一直都幼稚下去吧。

最了不起的人

1月8日　星期二　树枝被风吹得直哆嗦

这几天，我们班最受欢迎的人不是学习最好的卜一萌，也不是“写字大王”加“告状大王”王天天，更不是我，而是刘坚强。虽然他不爱写作业，每次考试都不及格，而且被大家称为“打不死的小强”，可是，他发明的游戏最多。

抓小偷的游戏就是刘坚强发明的，我们玩得最多。刘坚强还编了一套顺口溜：石头剪刀布，警察抓小偷，打开

mén zhuā zhù nǐ bǎ nǐ dǎ fān zài dì shí tou jiǎn dāo
门，抓住你，把你打翻在地。石头剪刀

bù jǐng chá zhuā xiǎo tōu pá shàng shù dǎi zhù nǐ shuāi nǐ
布，警察抓小偷，爬上树，逮住你，摔你

gè dà pì dūn er
个大屁蹲儿……

shéi shū le shéi jiù shì xiǎo tōu bèi zhuā de
谁输了谁就是“小偷”，被“抓”的

shí hou děi pīn mìng qiú ráo hái shi zhēn shuāi gè dà pì dūn
时候，得拼命求饶，还是真摔个大屁蹲

er zhēn shi tài hǎo wán le
儿。真是太好玩了！

hái yǒu èr guō tóu wǔ liáng yè shí lǐ xiāng
还有：二锅头，五粮液，十里香。

èr guō tóu shì liǎng gēn shǒu zhǐ wǔ liáng yè shì wǔ gēn shǒu
二锅头是两根手指；五粮液是五根手

zhǐ shí lǐ xiāng shì yí gè quán tóu wǔ zhǐ bāo
指，十里香是一个拳头。五指包

quán tóu èr zhǐ jiǎn wǔ zhǐ quán tóu dǐng èr
拳头，二指剪五指，拳头顶二

zhǐ shéi shū le shéi dǎ zuì quán
指，谁输了谁打醉拳。

jīn tiān xià kè de shí hou wáng
今天下课的时候，王

hào xuān bù xiǎo xīn shuāi dào le lā
浩轩不小心摔到了垃

jī tǒng li yú shì liú jiān qiáng
圾桶里。于是，刘坚强

biān le yí gè shùn kǒu liū wǔ bǎi
编了一个顺口溜：五百

年前孙悟空大闹天宫，五百年后王浩轩大闹垃圾桶。

放学前，我们班的同学都学会了。甜老师说，如果刘坚强把聪明放到学习上，成绩肯定第一。

听了甜老师的夸奖，刘坚强太得意了，他一边念着顺口溜一边倒退着走，结果一头摔进了垃圾桶里。

于是，顺口溜变成：五百年前孙悟空大闹天宫，

五百年后刘坚强再战垃圾桶。

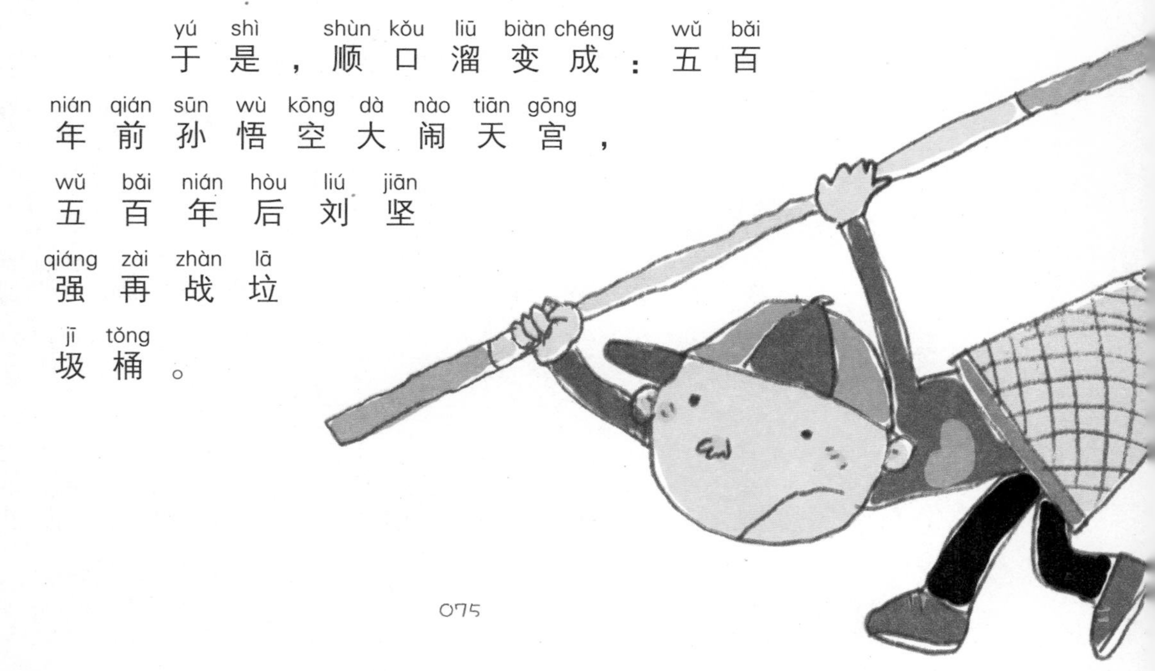

为大树出气

3月12日 星期四 春天来了，花儿怎么还不开

“今天是3月12日，亲爱的同学们，你们知道今天是什么节日吗？”上课的时候，甜老师提问。

“我知道我知道，”朱奇奇抢着回答，“是植树节！”

“为什么树有节日，可是牛肉干却没有节日呢？”我还是忍不住替牛肉干打抱不平。

看来这个问题的确有点儿难，甜老

师想了好一会儿：“因为树木与人类的生存息息相关哪，它会制造氧气，减少二氧化碳，吸尘，净化空气……”

我抢着说：“还可以让我们爬树玩！”

既然树有这么多的作用，当然就应该有一个节日啦。我已经从心里原谅了树。

讲到最后的时候，甜老师重重地叹了口气：“可是，城市的污染太严重了，你们连星星都看不清楚了，所以，我们要感谢树。”

“‘污染’我知道，”刘坚强这下可来了精神，“就比如大烟囱里冒出的黑烟、臭氧层被破坏、汽车排放的尾气……”

苏拉使劲儿白了刘坚强一眼：“臭显！”

放学回家的时候，我和朱奇奇看到一台轿车停在楼下。

“闻到什么气味了吗？”我问朱奇奇。

朱奇奇支起鼻子：“我没有闻到什么别的味道哇！”

“想想甜老师说的话，‘污染’！”我提醒他。

“放屁算不算大气污染哪？”

“费话，屁也能破坏臭氧层，当然算！”

“没办法，我现在就想放屁！”

气得我对着朱奇奇的大屁股重重地踢了一脚："就是这些汽车制造的污染，把大树们都累坏了。我们得给大树报仇！"

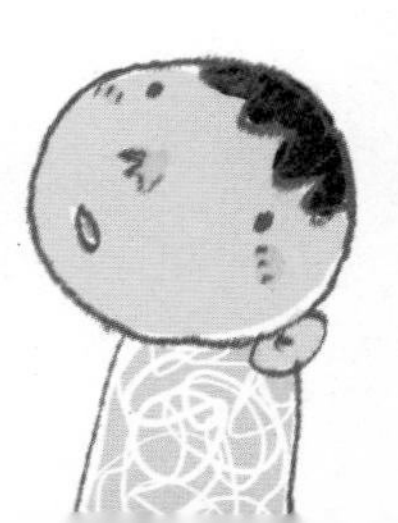

yì xiǎng dào dà qì wū rǎn zhū qí qi dùn shí
一想到“大气污染”，朱奇奇顿时
lái le jīng shen wǒ men wéi zhe zhè ge zhì zào wū rǎn de
来了精神。我们围着这个制造污染的
jiā huo zhuàn le sān gè quān jué dìng bǎ tā xiāo miè diào
“家伙”转了三个圈，决定把它消灭掉。

zhè ge gāng tiě jiā huo sī háo bù zhī dào zì jǐ de
这个钢铁家伙丝毫不知道自己的
è yùn jiù yào lái lín le hái tǐng zhe zèng liàng de bó zi pā
噩运就要来临了，还挺着锃亮的脖子趴
zài nà er wǒ men zhōng yú zhǎo dào le zhè ge jiā huo de
在那儿。我们终于找到了这个家伙的
wū rǎn yuán tóu jiù shì pái fàng kě wù de qì chē wěi
“污染源头”，就是排放可恶的汽车尾
qì de guǎn zi wǒ men zhuàn dào qì chē de pì gu hòu tou
气的管子。我们转到汽车的屁股后头，
bǎ zhū qí qi de chòu qiú xié sāi jìn le qì chē wěi qì pái
把朱奇奇的臭球鞋塞进了汽车尾气排
fàng guǎn li
放管里。

zhū qí qi dān jiǎo bèng zhe huí jiā le
朱奇奇单脚蹦着回家了。

wǒ men dōu hěn gāo xìng yīn wèi wǒ men wèi huán bǎo
我们都很高兴。因为我们为环保
zuò gòng xiàn le wèi dà shù chū qì le
作贡献了，为大树出气了。

藏东西

3月24日　星期二　好像要下雨了

qí shí，zhū qí qi bù gāi shēng qì de，zhè zhǐ shì yí gè yóu xì。

其实，朱奇奇不该生气的，这只是一个游戏。

jīn tiān fàng xué hòu，wǒ men liǎng gè rén zài cāo chǎng shang wán cáng dōng xī de yóu xì。jiù shì zhū qí qi bǎ wǒ de dōng xi cáng qǐ lái，wǒ lái zhǎo，zhǎo dào le wǒ jiù yíng le，zhǎo bú dào，zhū qí qi jiù yíng le。rán hòu huàn chéng wǒ lái cáng zhū qí qi de dōng xi，tā lái zhǎo。

今天放学后，我们两个人在操场上玩藏东西的游戏。就是朱奇奇把我的东西藏起来，我来找，找到了我就赢了，找不到，朱奇奇就赢了。然后换成我来藏朱奇奇的东西，他来找。

gāng kāi shǐ wǒ men wán de hěn kāi xīn。

刚开始我们玩得很开心。

tā bǎ wǒ de mào zi cáng le qǐ lái
他把我的帽子藏了起来。

wǒ qù wā shā kēng rán hòu dào shù cóng li zhǎo
我去挖沙坑，然后到树丛里找，

yòu zuān jìn qiáng dòng li fān hái pá dào shù shang
又钻进墙洞里翻，还爬到树上，

zài shù yè li zhǎo
在树叶里找……

zhōng yú bèi wǒ zài zhū qí qi de pì gu dǐ xia zhǎo
终于，被我在朱奇奇的屁股底下找

dào le kě shì mào zi yǐ jīng bèi zhū qí qi de pì gu
到了！可是帽子已经被朱奇奇的屁股

yā biǎn le
压扁了。

xiàn zài huàn chéng wǒ cáng zhū qí qi zhǎo le
现在，换成我藏，朱奇奇找了。

zhū qí qi ràng wǒ cáng tā de shū bāo zhè kě bù
朱奇奇让我藏他的书包。这可不

hǎo bàn mào zi xiǎo hǎo cáng qǐ lái shū bāo tài dà
好办。帽子小，好藏起来，书包太大

le bù róng yì cáng ne
了，不容易藏呢。

cáng zài shù cóng zhōng? hái shi lù chū le shū bāo de
藏在树丛中？还是露出了书包的
dài zi。guà zài shù shang? yì tái tóu jiù kàn de dào。
带子。挂在树上？一抬头就看得到。
mái jìn shā kēng li? nà děi wā yí gè hěn dà de kēng
埋进沙坑里？那得挖一个很大的坑
ne……
呢……

xiǎng lái xiǎng qù，wǒ zhōng yú zhǎo dào le yí gè zuì yǐn
想来想去，我终于找到了一个最隐
bì de dì fang!
蔽的地方！

kě lián de zhū qí qi，zhǎo le yí gè bàn xiǎo shí yě
可怜的朱奇奇，找了一个半小时也
méi zhǎo dào。wǒ dōu kuài shuì zháo le。
没找到。我都快睡着了。

tā zuì hòu tóu xiáng rèn shū。
他最后投降认输。

shū bāo dào dǐ cáng zài nǎ er le?
书包到底藏在哪儿了？

zuì zāo gāo de shì，wǒ wàng le。
最糟糕的是，我忘了。

一只蟑螂的聚会

4月6日　星期一　无精打采的天

jīn tiān xià kè de shí hou wǒ dì yī cì méi yǒu pǎo
今天下课的时候，我第一次没有跑
chū qù wán
出去玩。

tóng zhuō sū lā wèn wǒ wèi shén me bù kāi xīn wǒ
同桌苏拉问我为什么不开心。我
gào su tā yīn wèi zhū qí qi de mā ma
告诉她，因为朱奇奇的妈妈。

wèi shén me yīn wèi zhū qí qi de mā ma ne
为什么因为朱奇奇的妈妈呢？

yīn wèi wǒ de mā ma yào cān jiā yí gè jù huì
因为我的妈妈要参加一个聚会。

sū lā tīng de zhí yūn tā wèn wǒ dào dǐ shì yīn wèi
苏拉听得直晕，她问我到底是因为
zhū qí qi de mā ma hái shi wǒ de mā ma
朱奇奇的妈妈还是我的妈妈。

wǒ zhǐ hǎo cóng tóu gěi tā jiǎng mā ma yào cān jiā
我只好从头给她讲。妈妈要参加

一次真正的淑女聚会。她花了一个月的时间来准备，高贵的晚礼服、漂亮的头饰、闪亮的项链……这一切最后都被我搅乱了。其实这真的不怪我。

要怪就怪那只蟑螂。

“为什么会有一只蟑螂？”苏拉听到这里时，就像真的有一只蟑螂爬过一样，浑身上下都在起鸡皮疙瘩。

我告诉她，是因为妈妈的项链坠儿在“一塌糊涂”的窝里。

“‘一塌糊涂’喜欢项链坠？”

“因为那个项链坠圆溜溜的，看起来就像一颗巧克力豆。”

“明白了，这一切都是‘一塌糊涂’干的，对吗？”

bú shì de wǒ shì wèi le bāng zhù yì
“不是的。我是为了帮助‘一
tā hú tú dāng rán yě wèi le ràng mā ma yǒu
塌糊涂’。当然，也为了让妈妈有
yí gè wán měi de jù huì
一个完美的聚会。”

nǐ dào dǐ gàn le shén me
“你到底干了什么？”

wǒ zhǐ shì bǎ yì zhī zhāng láng shuān zài le mā
“我只是把一只蟑螂拴在了妈
ma de xiàng liàn shang
妈的项链上。”

á sū lā shuō zì jǐ kuài yūn guò
“啊……”苏拉说自己快晕过
qù le
去了。

xiǎng yì xiǎng ba mā ma dài zhe yì zhī zhāng láng
想一想吧，妈妈戴着一只蟑螂
qù cān jiā jù huì ér qiě shì huó de
去参加聚会。而且，是活的！

mā ma zěn me huì dài zhe huó de zhāng láng qù
“妈妈怎么会戴着活的蟑螂去
ne
呢？”

běn lái zhāng láng yì zhí hūn mí bù xǐng lái
“本来蟑螂一直昏迷不醒来
zhe wǒ yǐ wéi tā huì yì zhí shuì dào jù huì jié
着，我以为它会一直睡到聚会结
shù de shí hou shéi zhī dào tā nà me zǎo jiù xǐng
束的时候，谁知道它那么早就醒

guò lái le
过来了。”

nǐ mā ma xià huài le ba
“你妈妈吓坏了吧？”

bú shì wǒ mā ma shì zhū qí qi de mā ma
“不是我妈妈，是朱奇奇的妈妈！”

wèi shén me shì tā ne
“为什么是她呢？”

yīn wèi zhāng láng bú yuàn yì dāng xiàng liàn zhuì tā pǎo
“因为蟑螂不愿意当项链坠，它跑

jìn zhū qí qi mā ma de yī fu lǐ miàn qù le
进朱奇奇妈妈的衣服里面去了……”

当值日生

4月14日　星期二　风带着沙子到处串门

zhí rì shēng yào zuò de shì qing hěn duō， zǎo shang qǐ lái
值日生要做的事情很多，早上起来

dì yī gè kāi mén、cā hēi bǎn、dào lā jī、bāng lǎo shī
第一个开门、擦黑板、倒垃圾、帮老师

dào kāi shuǐ…… wǒ xǐ huan dāng zhí rì shēng。kě shì，zhí
倒开水……我喜欢当值日生。可是，值

rì shēng shì quán bān tóng xué lún liú dāng de，yí gè yuè cái néng
日生是全班同学轮流当的，一个月才能

lún dào wǒ yì huí。
轮到我一回。

shàng zhōu wǒ yǐ jīng dāng guo zhí rì shēng le。jīn tiān
上周我已经当过值日生了。今天

shì zhū qí qi zhí rì。
是朱奇奇值日。

zuó tiān fàng xué wǒ gēn tā shuō，yòng liǎng dài niú ròu
昨天放学我跟他说，用两袋牛肉

gān jiā yí kuài xiàng pí huàn kāi mén de yào shi，wǒ lái
干加一块橡皮换开门的钥匙，我来

bāng tā kāi jiào shì de mén kě shì zhū qí qi bú
帮他开教室的门。可是朱奇奇不
yuàn yì
愿意。

jīn tiān zǎo shang wǒ dào xué xiào de shí hou fā xiàn
今天早上我到学校的时候，发现
quán bān tóng xué dōu děng zài jiào shì wài miàn ér zhū qí qi
全班同学都等在教室外面，而朱奇奇
hái méi dào méi yǒu yào shi wǒ men jiù jìn bú qù jiào
还没到。没有钥匙我们就进不去教
shì děng dào zhū qí qi qì chuǎn xū xū de pǎo lái dì
室。等到朱奇奇气喘吁吁地跑来，第
yī jié de shàng kè líng dōu dǎ guo le yuán lái zhū qí
一节的上课铃都打过了。原来，朱奇
qi shēng pà bǎ yào shi nòng diū le jiù bǎ tā cáng lái cáng
奇生怕把钥匙弄丢了，就把它藏来藏
qù de děng zǎo shang qǐ lái de shí hou zì jǐ què zhǎo bú
去的，等早上起来的时候自己却找不
dào le
到了。

wǒ zhēn gāo xìng zhū qí qi lái wǎn le zhè yàng wǒ
我真高兴朱奇奇来晚了，这样，我
jiù kě yǐ bāng tā yì qǐ sǎo dì cā hēi bǎn dào lā jī
就可以帮他一起扫地、擦黑板、倒垃圾
le wǒ men yì qǐ sǎo dì de shí hou bǐ sài kàn shéi néng
了。我们一起扫地的时候，比赛看谁能
yáng qǐ shā chén bào zhū qí qi shèng lì le tā mǎn shēn
扬起沙尘暴。朱奇奇胜利了。他满身
mǎn liǎn dōu shì huī kàn qǐ lái xiàng gè ní bā dà xiá yí
满脸都是灰，看起来像个泥巴大侠一

yàng wǒ yě hǎo bú dào nǎ er qù bí zi li
样！我也好不到哪儿去，鼻子里
zuǐ li quán dōu shì tǔ
嘴里全都是土。

kàn dào tián lǎo shī yào zǒu jìn jiào shì le
看到甜老师要走进教室了，
wǒ gǎn jǐn qù dào lā jī
我赶紧去倒垃圾。

qí shí dào lā jī yě hěn hǎo wán kě yǐ
其实倒垃圾也很好玩。可以
wán yí huì er dān gàng zài pá yí huì er lán qiú
玩一会儿单杠，再爬一会儿篮球
jià píng shí xià kè de shí hou gāo nián jí de
架。平时下课的时候，高年级的
tóng xué dōu bǎ zhè xiē zhàn lǐng le lún bú dào wǒ
同学都把这些占领了，轮不到我
men wán
们玩。

bú guò wǒ wán de shí jiān yǒu xiē cháng
不过，我玩的时间有些长，
yīn wèi wǒ kàn dào zhū qí qi chū lái zhǎo
因为我看到朱奇奇出来找
wǒ le
我了。

zhū qí qi shuō tián lǎo shī ràng wǒ gǎn jǐn
朱奇奇说甜老师让我赶紧
huí qù hái ràng wǒ men bǎ liǎn xǐ gān jìng zài
回去，还让我们把脸洗干净再
qù shàng kè
去上课。

wǒ men hěn tīng huà，zǒu jìn shuǐ fáng guāi guāi de xǐ
我们很听话，走进水房乖乖地洗
liǎn。kě shì xǐ zhe xǐ zhe，yí bù liú shén jiù wán qǐ le
脸。可是洗着洗着，一不留神就玩起了
dǎ shuǐ zhàng。
打水仗。

zuì hòu，shēng qì de tián lǎo shī qīn zì chū mǎ，
最后，生气的甜老师亲自出马，
yā zhe liǎng zhī "luò tāng jī" huí dào le jiào shì。
押着两只“落汤鸡”回到了教室。

tū rán，wǒ xiǎng qǐ lái，lā jī tǒng diū le！
突然，我想起来，垃圾桶丢了！

āi，dāng zhí rì shēng zhēn má fan！
唉，当值日生真麻烦！

金刚裤兜里的秘密

5月8日　星期四　花儿朵朵开　春天已来到

jīn gāng jīn tiān hěn lǎo shi shàng kè de shí hou bú zài
金刚今天很老实，上课的时候不再
bǎ shēn zi nǐng de xiàng gè má huā yě méi bǎ shū juǎn chéng yí
把身子拧得像个麻花，也没把书卷成一
gè wàng yuǎn jìng dōng zhāng xī wàng de kàn hái méi yòng xiàng pí
个望远镜，东张西望地看，还没用橡皮
dǎ wǒ de tóu zhè zhēn shi tài qí guài le
打我的头……这真是太奇怪了！

xià kè de shí hou wǒ chōng dào tā de miàn qián kàn
下课的时候，我冲到他的面前，看
kan tā dào dǐ biàn chéng le shén me guài wu
看他到底变成了什么怪物。

jīn gāng méi biàn chéng guài wu tā kàn dào wǒ zǒu guò
金刚没变成怪物，他看到我走过
qù xià de chà diǎn er tiào qǐ lái wǒ yǒu nà me kě pà
去，吓得差点儿跳起来。我有那么可怕
ma píng shí tā zǒng shì bā bu de hé wǒ dǎ shàng yí jià
吗？平时他总是巴不得和我打上一架，

yīn wèi tā zhī dào wǒ dǎ bú guò tā
因为他知道我打不过他。

kěn dìng yǒu shén me tè bié de shì qing wǒ wéi zài
肯定有什么特别的事情。我围在
jīn gāng de zhōu wéi zhuàn le bā quān shén me mì mì yě méi
金刚的周围转了八圈，什么秘密也没
fā xiàn
发现。

zhū qí qi shuō yě xǔ jīn gāng niào kù zi le
朱奇奇说也许金刚尿裤子了。

jīn gāng qì de yí xià zi zhàn qǐ lái juē qǐ pì gu
金刚气得一下子站起来，撅起屁股
ràng wǒ men kàn
让我们看。

nà yīn wèi shén me ne zhè shí hou wǒ kàn dào
那因为什么呢？这时候，我看到
jīn gāng de kù dōu li gǔ gǔ de xiàng zhuāng zhe yì zhī qīng
金刚的裤兜里鼓鼓的，像装着一只青
wā shì de
蛙似的。

ā yuán lái mì mì jiù zài zhè lǐ ya
啊，原来秘密就在这里呀！

kě shì tā de kù dōu li dào dǐ zhuāng de shì yì
可是，他的裤兜里到底装的是一
zhī qīng wā hái shi yì zhī lài há ma huò zhě shì yì zhī
只青蛙还是一只癞蛤蟆，或者是一只
dà zhī zhū
大蜘蛛？

wǒ tài xiǎng zhī dào zhè ge mì mì le zhèng zài zhè
我太想知道这个秘密了。正在这

时，上课铃响了，我只好乖乖地回到自己的座位上。可是，整整一堂课，我的脑袋里全都是金刚的裤兜，甜老师讲的话一句也没听见。

终于又下课了。我赶紧来到金刚座位前。金刚好像一点儿也不想告诉我他的秘密，他趴在桌子上，手紧紧地捂住裤兜，小心地提防着我们。我想到一个办法。我负责挠金刚的痒痒，因为他最怕痒了。朱奇奇和刘坚强负责把金刚兜里的“宝贝”掏出来。

现在，金刚笑得全身颤抖，已经顾不上兜里的“宝贝”了。终于，朱奇奇把“宝贝”掏出来了，竟然是……钱，一大堆钱。

钱撒了一地，到处都是。

真没意思！费了我们这么半天的力气，原

lái jīn gāng de bǎo bèi jiù shì zhè xiē qián na
来金刚的宝贝就是这些钱哪。

zhè shí hou jīn gāng què kū sang zhe liǎn shuō wǒ men
这时候，金刚却哭丧着脸，说我们
gù yì yào qiǎng tā de qián
故意要抢他的钱。

wǒ men cái bù xī han qián ne kě wǒ men bù dé
我们才不稀罕钱呢！可我们不得
bù bāng tā yì zhāng yì zhāng de jiǎn qián
不帮他一张一张地捡钱。

jīn gāng bǎ qián yì zhāng yì zhāng de dié hǎo rán hòu kāi
金刚把钱一张一张地叠好，然后开
shǐ shǔ le qǐ lái yī èr sān sì sì shí
始数了起来，一、二、三、四……四十
bā zhāng
八张。

yí wèi shén me shì sì shí bā zhāng wǒ diū le
“咦，为什么是四十八张？我丢了
liǎng zhāng qián nǐ men péi wǒ jīn gāng dà jiào qǐ lái
两张钱，你们赔我！”金刚大叫起来。

zhū qí qi shuō tā dà jīng xiǎo guài yí dìng shì shǔ
朱奇奇说他大惊小怪，一定是数
cuò le
错了。

yú shì jīn gāng yòu rèn rèn zhēn zhēn de shǔ le
于是，金刚又认认真真地数了
yí biàn
一遍。

yī èr sān sì wǔ shí èr zhāng
一、二、三、四……五十二张。

á wèi shén me yòu biàn chéng wǔ shí èr zhāng le
“啊，为什么又变成五十二张了？
zěn me huì duō le liǎng zhāng qián jīn gāng yòu jiào qǐ lái
怎么会多了两张钱？”金刚又叫起来。

jīn gāng shǔ le wǔ biàn kě shì dé chū lái de shù zì
金刚数了五遍，可是得出来的数字
què shì wǔ gè shù méi yǒu yí cì zhèng hǎo shì wǔ shí de
却是五个数，没有一次正好是五十的。
jīn gāng jí de kuài kū le tā chōng shàng lái pū dào wǒ de
金刚急得快哭了。他冲上来，扑到我的
shēn shang wǒ yí xià zi bèi zhuàng le gè dà pì dūn er qì
身上。我一下子被撞了个大屁蹲儿，气
de wǒ pá qǐ lái yòu pū dào jīn gāng de shēn shang
得我爬起来又扑到金刚的身上。

zhū qí qi qǐ xiān bāng zhe wǒ dǎ jīn gāng kě shì
朱奇奇起先帮着我打金刚，可是，
yīn wèi wǒ cǎi le tā de jiǎo tā yòu bāng zhe jīn gāng
因为我踩了他的脚，他又帮着金刚
dǎ wǒ
打我。

liú jiān qiáng yí huì er dāng cái pàn yí huì er dāng guān
刘坚强一会儿当裁判，一会儿当观
zhòng dāng cái pàn de shí hou tā shuō bù néng liǎng gè dǎ yí
众。当裁判的时候，他说不能两个打一
gè bù gōng píng yú shì tā bāng zhe yì fāng dǎ lìng yì
个，不公平，于是，他帮着一方打另一
fāng dāng guān zhòng de shí hou tā jiù shǐ jìn er de gěi wǒ
方；当观众的时候，他就使劲儿地给我
men hǎn jiā yóu
们喊加油。

bǔ yī méng jiān jiào zhe ràng wǒ men zhù shǒu kě wǒ men
卜一萌尖叫着让我们住手，可我们

zhèng máng zhe dǎ jià ne shí zài méi gōng fu tīng tā de huà
正忙着打架呢，实在没工夫听她的话。

hòu lái tián lǎo shī lái le tā bǎ wǒ men lā
后来，甜老师来了，她把我们拉

kāi wèn wǒ men wèi shén me dǎ jià
开，问我们为什么打架。

jīn gāng hěn wěi qu de shuō wǒ men bǎ tā de qián dōu
金刚很委屈地说我们把他的钱都

nòng diū le
弄丢了。

wǒ men yě hěn wěi qu de shuō bú shì wǒ men de cuò
我们也很委屈地说不是我们的错，

wǒ men hái bāng tā jiǎn qián ne
我们还帮他捡钱呢。

zuì hòu tián lǎo shī bāng jīn gāng bǎ qián shǔ le yí
最后，甜老师帮金刚把钱数了一

biàn yī èr sān sì zhèng hǎo shì wǔ shí zhāng
遍。一、二、三、四……正好是五十张，

yì zhāng bù duō yì zhāng bù shǎo
一张不多，一张不少。

jié guǒ wǒ men měi gè rén dōu bèi tián lǎo shī fá chāo
结果，我们每个人都被甜老师罚抄

xiě shí biàn kè wén jīn gāng yě bú lì wài
写十遍课文，金刚也不例外。

qián zhēn shì gè huài dōng xi
钱真是个坏东西！

公开课

5月16日　星期三　雨丝像小毛毛一样，小得看不见

jīn tiān shì tián lǎo shī de gōng kāi kè　xiào zhǎng
今天是甜老师的公开课。校长
dài zhe hǎo duō lǎo shī lái tīng tián lǎo shī shàng kè　hái
带着好多老师来听甜老师上课，还
yào gěi tā dǎ fēn
要给她打分。

wǒ men xī wàng tián lǎo shī xiān　liàn xí　yí
我们希望甜老师先“练习”一
xià　xiàng yǎn xì yí yàng bǎ jué sè dōu fēn pèi hǎo　huì
下，像演戏一样把角色都分配好。会
de tóng xué jǔ yòu shǒu　bú huì de tóng xué jǔ zuǒ shǒu
的同学举右手，不会的同学举左手，
zhè yàng cái bú huì chū cuò　kě shì tián lǎo shī shuō bù
这样才不会出错。可是甜老师说不
kě yǐ nòng xū zuò jiǎ　hái shi shí shì qiú shì de hǎo
可以弄虚作假，还是实事求是的好，
píng cháng shàng kè shén me yàng　xiàn zài jiù shén me yàng
平常上课什么样，现在就什么样。

我还是很替甜老师担心。

同桌苏拉说，只要我把嘴、手、脚都管好，甜老师的课就不会出问题。这个好像很简单，我保证做到上课的时候不乱说话、不乱动。

上课铃响了，很多老师走进来，坐在教室后面。校长也来了，他板着脸，没有一丝笑容。甜老师站在讲台上，声音有些颤抖，看起来很紧张的样子。

甜老师说：“今天我们讲清清的

水。”说完她咳嗽了一下，好像很想喝水似的。

她先领我们读了一遍课文，然后提问大家：“有谁看过瀑布？”

我们都拼命地把手举得高高。虽然我没看过瀑布。

好在甜老师没提问我。她叫卜一萌来回答。

卜一萌的声音很响

liàng děng tā shuō wán le wǒ tōu tōu huí tóu kàn fā xiàn
亮。等她说完了，我偷偷回头看，发现
xiào zhǎng wēi wēi de diǎn dian tóu hǎo xiàng hěn mǎn yì
校长微微地点点头，好像很满意。

dà jiā shuō yì shuō chú le pù bù hái yǒu shén
“大家说一说，除了瀑布，还有什
me shuǐ tián lǎo shī jì xù tí wèn
么水？”甜老师继续提问。

hé shuǐ hǎi shuǐ yǔ shuǐ
“河水、海水、雨水……”

zhè ge wèn tí tài jiǎn dān le wǒ bǎ gē bo jǔ de
这个问题太简单了，我把胳膊举得
gāo gāo de shēng pà tián lǎo shī kàn bú dào
高高的，生怕甜老师看不到。

tián lǎo shī wēi xiào de diǎn le wǒ de míng zi
甜老师微笑地点了我的名字。

hái yǒu qì shuǐ wǒ dà shēng huí dá
“还有汽水！”我大声回答。

pū chī shén me shēng yīn wǒ zhuǎn guò tóu
“扑哧——”什么声音？我转过头
qù kàn dào tīng kè de lǎo shī dōu pīn mìng de wǔ zhe zuǐ
去，看到听课的老师都拼命地捂着嘴
ba jiù hǎo xiàng yì zhāng zuǐ jiù huì cóng lǐ miàn tiào chū yì
巴，就好像一张嘴，就会从里面跳出一
zhī qīng wā shì de
只青蛙似的。

shì wǒ shuō cuò le ma wǒ huì ràng tián lǎo shī de
是我说错了吗？我会让甜老师的
jiǎng kè chéng jì bù jí gé ma wǒ zěn me yǒu diǎn er
讲课成绩不及格吗？……我怎么有点儿

xiǎng kū ne
想哭呢……

suī rán wǒ pīn mìng rěn zhe kě shì hái shi yǒu yǎn
虽然我拼命忍着，可是，还是有眼
lèi liú chū lái le jiù suàn bà ba dǎ wǒ pì gu wǒ dōu
泪流出来了。就算爸爸打我屁股我都
méi kū kě shì xiàn zài wǒ zhēn de pà tián lǎo shī huì bù
没哭，可是现在，我真的怕甜老师会不
jí gé
及格。

tián lǎo shī zǒu guò lái mō mo wǒ de tóu mǐ
甜老师走过来，摸摸我的头："米
duō huí dá de hěn hǎo wa qì shuǐ yě shì yì zhǒng shuǐ wǒ
多回答得很好哇！汽水也是一种水，我
men dōu hěn ài hē ya duì le mǐ duō hái zhī dào yǒu yì
们都很爱喝呀。对了，米多还知道有一
zhǒng tè bié de shuǐ qǐng nǐ kuài gào su dà jiā ba
种特别的水，请你快告诉大家吧！"

wǒ hái zhī dào shén me tè bié de shuǐ ne wǒ tái
我还知道什么特别的水呢？我抬
tóu wàng zhe tián lǎo shī bù zhī dào gāi zěn me huí dá
头望着甜老师，不知道该怎么回答。

tián lǎo shī zhǐ le zhǐ yǎn jing rán hòu chòng wǒ zhǎ zha yǎn
甜老师指了指眼睛，然后冲我眨眨眼。

duì le shì lèi shuǐ
对了，是泪水！

xià kè líng xiǎng de shí hou wǒ kàn dào xiào zhǎng zài běn
下课铃响的时候，我看到校长在本
zi shang xiě le yí gè dà dà de yōu xiù
子上写了一个大大的"优秀"！

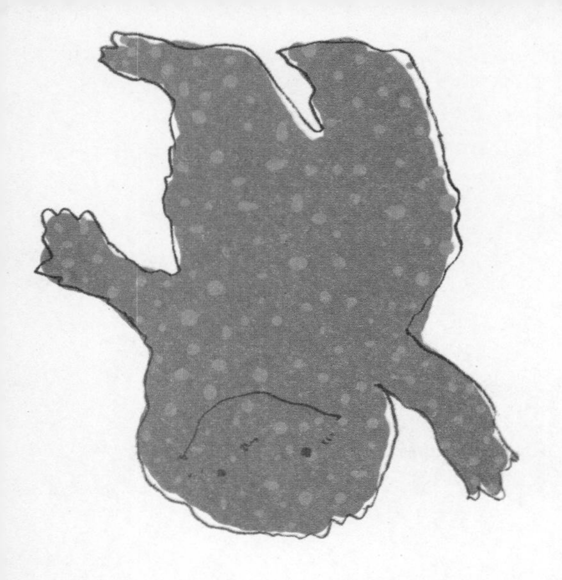

泥巴精灵来了

5月25日　星期一　太阳跟在我的屁股后面追我

jīn tiān fàng xué de shí hou wǒ pèng dào le yí gè ní
今天放学的时候，我碰到了一个泥
bā jīng líng suī rán wǒ xǐ huan jīng
巴精灵。虽然我喜欢精
líng xǐ huan shén qí de yí
灵，喜欢神奇的一
qiè kě wǒ jiù shì bù xǐ
切，可我就是不喜
huan ní bā jīng líng
欢泥巴精灵。

tā lǒu zhe wǒ hé
它搂着我，和
wǒ yì qǐ dǎ gǔn yì qǐ
我一起打滚，一起

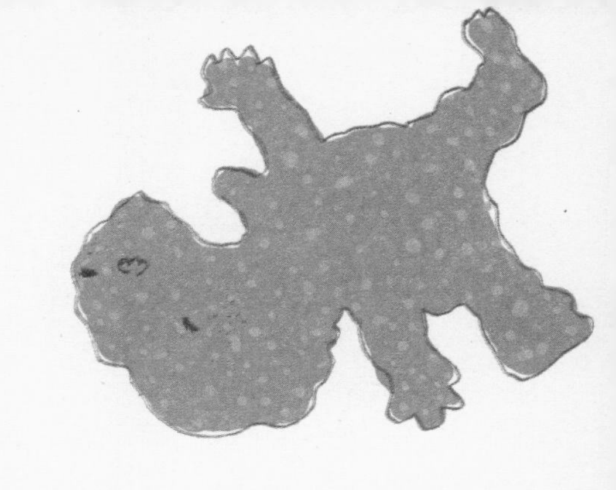

玩滚球球的游戏。然后拉着我一起踢足球。最后，我变成了一个泥巴小孩。

朱奇奇也很讨厌泥巴精灵。泥巴精灵挖了一个大坑，等朱奇奇走近了，一下子把他扑到坑里去。朱奇奇也变成了一个泥巴小孩。

本来，我们只是想捉几只蚂蚱，可是泥巴精灵袭击我们，弄我们满身的泥土，再给我们画个大花脸。只要一下课，我们就都躲不开泥巴精灵，它总是悄悄地来到我们身边，然后绑架我们。

就是坐着一动不动也不行。泥巴精灵会假装成巧克力酱，或者墨水什么的，纠缠我们。最后，朱奇奇肯定会坐一屁股的巧克力酱，我会弄得满衣服都是墨水。就连好孩子苏拉也躲不开，她的新裙子上也会被泥巴精灵的爪子挠得脏脏的。

不过，外表很凶很难缠的泥巴精灵最怕甜老师。只要听到甜老师的脚步声，泥巴精灵马上跑得无影无踪。只剩下可怜巴巴的我们，乖乖地等着受甜老师的惩罚。

可是甜老师也不能无时无刻地看

着我们，她总要去上课、备课、上厕所、喝水、洗手……那时候，可恶的泥巴精灵就会跑出来捣乱。

瞧瞧吧，我们越脏泥巴精灵越高兴。

你说，我们该怎么躲开泥巴精灵呢？

钻进书桌底下？不行！

躲进垃圾桶里？不行！

藏到门后面？不行！

…………

可是，为什么妈妈不相信有泥巴精灵呢？

歌手大赛

6月1日　星期一　没下雨也没出太阳

jīn tiān shì liù yī ér tóng jié xué xiào jǔ
今天是六一儿童节，学校举
xíng xiào yuán shí jiā gē shǒu dà sài qí shí wǒ
行校园十佳歌手大赛。其实，我
gèng xī wàng jǔ xíng líng shí dà sài bú guò wǒ
更希望举行零食大赛。不过，我
hái shi bào míng cān jiā le yīn wèi fán shì cān jiā
还是报名参加了。因为凡是参加
de xuǎn shǒu dōu huì dé dào lǐ wù
的选手都会得到礼物。

dào le xué xiào de dà lǐ táng wǒ kàn dào
到了学校的大礼堂，我看到
yǒu hěn duō rén dōu zài máng lái máng qù yǒu de zài
有很多人都在忙来忙去，有的在
huà zhuāng yǒu de zài liàn xí wǒ běn
化妆，有的在练习。我本
lái bù jǐn zhāng kě shì děng zhe děng zhe
来不紧张，可是等着等着，

心里有点儿紧张了，而且越来越紧张。看起来，我好像只是静静地坐在椅子上，可是，谁都不知道，我的心不停地蹦跳着，好像快从嗓子眼里蹦出来了！

令人激动的时刻终于来临了，大赛开始了！

前几位选手陆陆续续地上了场，很快就要轮到我了。我使劲儿咽了一下口水。

真的轮到我了。我都不知道是怎么走到舞台上的。等我看到下面黑糊糊的全是人时，我感觉自己快晕过去了。

音乐声响起来，

wǒ zhèng yào zhǔn bèi zhāng zuǐ chàng tū rán chū xiàn le xiǎo gù
我正要准备张嘴唱，突然，出现了小故
zhàng yīn yuè tíng le yuán lái shì yīn xiǎng huài le
障，音乐停了。原来是音响坏了。

lǎo shī men xiàng rè guō shang de mǎ yǐ yí yàng zhuàn lái
老师们像热锅上的蚂蚁一样转来
zhuàn qù ér wǒ què yí cì jiē zhe yí cì de bèi jiào shàng
转去，而我，却一次接着一次地被叫上
chǎng dàn shì děng wǒ shàng chǎng zhī hòu chú le lǎo shī duì
场。但是，等我上场之后，除了老师对
wǒ shuō xià qù hái méi nòng hǎo de shēng yīn wài méi yǒu
我说“下去，还没弄好”的声音外，没有
yì shǒu yuè qǔ cóng hēi sè de yīn xiǎng li zuān chū lái
一首乐曲从黑色的音响里钻出来。

wǒ shàng chǎng
我上场。

wǒ xià chǎng
我下场。

wǒ shàng chǎng
我上场。

wǒ xià chǎng
我下场。

…………

bù zhī dào zhē teng le duō shao cì děng yīn xiǎng zhōng yú
不知道折腾了多少次，等音响终于
xiū hǎo de shí hou wǒ zhàn zài tái shang shén me yě chàng bù chū
修好的时候，我站在台上什么也唱不出
lái le yīn wèi wǒ wàng le yào chàng shén me le
来了。因为我忘了要唱什么了。

写作文

6月9日　星期二　梦里一直在下雨

zuó tiān wǎn shang wǒ mèng jiàn wàng xiě zuò wén le bèi tián
昨天晚上我梦见忘写作文了，被甜
lǎo shī pī píng tóng xué men hái xiào hua wǒ zhè ge mèng yì
老师批评，同学们还笑话我。这个梦一
diǎn er yě bù hǎo jié guǒ zǎo shang qǐ lái de shí hou wǒ
点儿也不好。结果早上起来的时候，我
fā xiàn zhēn de wàng xiě zuò wén le
发现真的忘写作文了。

zhè kě zěn me bàn ne
这可怎么办呢？

wǒ xiǎo shēng de qiú bà ba bāng wǒ xiě zuò wén bìng qiě
我小声地求爸爸帮我写作文，并且
xiàng bà ba bǎo zhèng zhè cì kǎo shì dá dào bā shí fēn yǐ shàng
向爸爸保证这次考试达到八十分以上。
dāng rán bù néng gào su mā ma bà ba yí dìng kàn wǒ de
当然，不能告诉妈妈。爸爸一定看我的
yàng zi hěn kě lián jiù tóng yì le bà ba de sù dù zhēn
样子很可怜，就同意了。爸爸的速度真

快，才不到二十分钟就写完了。

今天交作业的时候，我很积极，不停地催卜一萌：“快点儿收作业呀！”

卜一萌很奇怪地盯着我，像从来不认识我似的。她问我：“你不是又有什么坏主意了吧？”然后宝贝似的把作业本抱到怀里，生怕我抢走了。

我只是想快一点儿交作业，既不想谋杀作业，也不想拦路抢劫作业。

整整一天，我都坐立不安，不停地盼着快点儿到讲评的时间。好不容易等到下午，甜老师走进教室。可是，看起来甜老师好像不太高兴。肯定有人忘写作文了。

wǒ hěn gāo xìng zhè huí bú shì wǒ
我很高兴，这回不是我。

kě shì
可是……

mǐ duō
“米多！”

wèi shén me shì wǒ ne wǒ xiě zuò wén le ya
“为什么是我呢？我写作文了呀。”

nǐ shì xiě zuò wén le kě shì nǐ de zuò wén tí
“你是写作文了，可是你的作文题
mù xiě de shì shén me
目写的是什么？”

wǒ de mā ma
“《我的妈妈》。”

jié guǒ tóng xué men tīng dào wǒ
结果，同学们听到我
de huà hā hā dà xiào qǐ lái yuán
的话哈哈大笑起来。原
lái tián lǎo shī zuó tiān liú de zuò wén
来，甜老师昨天留的作文
shì wǒ de bà ba
是《我的爸爸》。

āi bái máng huo le
唉……白忙活了。

绿色父亲节

6月14日　星期日　雨过天晴

jīn tiān cóng zhū qí qi nà er wǒ dì yī cì tīng
今天，从朱奇奇那儿，我第一次听

shuō le hái yǒu fù qīn jié zhè ge shuō fǎ xiàn zài de
说了，还有父亲节这个说法。现在的

jié rì hái zhēn duō bù zhī dào yǐ hòu huì bú huì chū xiàn
节日还真多，不知道以后会不会出现

ér zi jié huò zhě nǚ ér jié ne fǎn zhèng
“儿子节”或者“女儿节”呢？反正，

duì xiǎo hái er lái shuō guò jié shì jiàn tǐng kāi xīn de
对小孩儿来说，过节是件挺开心的

shì er
事儿。

fù qīn jié sòng diǎn er shén me gěi bà ba hǎo ne
父亲节送点儿什么给爸爸好呢？

gēn jù bà ba píng shí de biǎo xiàn wǒ wán quán kě yǐ
根据爸爸平时的表现，我完全可以

wú shì jīn tiān zhè ge jié rì de bà ba měi tiān xià bān
无视今天这个节日的。爸爸每天下班

就知道坐在电脑前目不转睛地玩象棋，要么就是在我犯错的时候，“啪啪”地打我的屁股。可是，如果今天我真的没有送礼物给他，明天他碰到朱奇奇的爸爸会不会觉得很没面子呢？要知道，爸爸们和妈妈们一样，都是喜欢盲目攀比的。

想来想去，我决定还是要送点儿什么给爸爸。

母亲节可以送花，父亲节我就送爸爸一盆仙人球吧，虽然不像康乃馨那么漂亮，但也算绿色植物哇，据说摆在电脑旁边还能防辐射。重要的是，像爸爸这么懒的人，只有仙人球这样的花才不容易被他养死。我特地选了个大盆刺

er duō de， wǒ jué de zhè yàng
儿多的，我觉得这样
fáng fú shè de xiào guǒ kě néng huì
防辐射的效果可能会
gèng hǎo yì diǎn er。
更好一点儿。

lǜ sè shì zuì néng bǎo hù
绿色是最能保护
yǎn jing de， bù rú wǒ bǎ bà ba
眼睛的，不如我把爸爸
de diàn nǎo píng mù yě gǎi chéng lǜ
的电脑屏幕也改成绿
sè ba， ràng bà ba guò yí gè lǜ
色吧，让爸爸过一个绿
sè de fù qīn jié！
色的父亲节！

zhè ge zhǔ yi zhēn bú cuò！
这个主意真不错！

shuō gàn jiù gàn， wǒ kāi shǐ wǎng diàn nǎo píng mù shang tú
说干就干，我开始往电脑屏幕上涂
sè， shí jiǔ cùn de xiǎn shì qì yào xiǎng tú mǎn lǜ sè hái zhēn
色，十九寸的显示器要想涂满绿色还真
shì gè lì qi huó er。 tú dào sì fēn zhī sān de shí hou，
是个力气活儿。涂到四分之三的时候，
qiǎn lǜ sè de shuǐ cǎi bǐ yòng wán le， wǒ zhǐ hǎo yòng shēn lǜ
浅绿色的水彩笔用完了，我只好用深绿
sè de tú shèng xia de sì fēn zhī yī。
色的涂剩下的四分之一。

wǒ zhèng tú de zhuān xīn，“guāng dāng” mén kāi le， shì
我正涂得专心，“咣当”门开了，是

bà ba
爸爸！

wǒ xià de cóng yǐ zi shang diào le xià
我吓得从椅子上掉了下
lái yí pì gu zuò zài le xīn mǎi de xiān rén
来，一屁股坐在了新买的仙人
qiú shang
球上。

yú shì zhè ge fù qīn jié wǒ dì yī
于是，这个父亲节我第一
cì hé bà ba qīn mì xiāng chǔ le hǎo cháng shí
次和爸爸“亲密”相处了好长时
jiān tā yì zhí dī zhe tóu máng zhe bāng wǒ
间。他一直低着头，忙着帮我
zhāi pì gu shang de cì
摘屁股上的刺。

驱“虫”记

6月25日　星期四　只有蝉还有力气说热

今天的天气特别闷热，上课的时候坐着不动还冒汗。所以，一下课，我们男生就喜欢跑到水龙头底下洗脸。最开始只是自己洗脸，可是洗着洗着，就变成了帮别人洗脸。

等到上课的时候，每个人身上都是水淋淋的。

苏拉说我们像

从水里“捞”出来一样。反正只要凉快就行。

等到下午上第二节数学课的时候，就算把我们再放进水里“涮”一下也没用。甜老师在讲台上兴致勃勃地讲“平均分”，可我们都无精打采的。

金刚最胖，他的眼睛都快粘在一起了。我也觉得迷迷糊糊的，好像就快睡着了似的。

突然，甜老师提高了声音，惊讶地叫道：“各位同学，小心点儿，

yǒu yì zhī chóng zi fēi le jìn lái
有一只虫子飞了进来！”

tóng xué men xià le yí dà tiào dōu zhēng dà le yǎn jing
同学们吓了一大跳，都睁大了眼睛，
dōng zhāng xī wàng de xún zhǎo zhè zhī bú sù zhī kè de zōng yǐng
东张西望地寻找这只不速之客的踪影。

tiān péng shang
天棚上。

dēng guǎn shang
灯管上。

hēi bǎn shang
黑板上。

…………

suǒ yǒu de dì fang wǒ men dōu zhǎo le gè biàn
所有的地方我们都找了个遍。

jīn gāng de yǎn jing dèng de zuì dà tā de jīng shen tóu
金刚的眼睛瞪得最大，他的精神头
er yě pǎo huí lái le yì tóu zuān jìn shū zhuō dǐ xia zhǎo
儿也跑回来了，一头钻进书桌底下找。

kě shì wǒ men zhǎo le lǎo bàn tiān yě méi zhǎo dào
可是，我们找了老半天也没找到。

zhè shí tián lǎo shī xiào le qǐ lái zhè bù jiù
这时，甜老师笑了起来：“这不，就
shì yì zhī kē shuì chóng a xiàn zài dà jiā yì qǐ bǎ kē
是一只瞌睡虫啊！现在，大家一起把瞌
shuì chóng gǎn pǎo le wǒ men jì xù shàng kè ba
睡虫赶跑了，我们继续上课吧！”

yuán lái shì zhè yàng a
原来是这样啊。

小心你的屁股

7月6日　星期一　太阳为什么不把我晒晕了呢？

běn lái wǒ yīng gāi hěn kuài lè de kě xī hái shi
　　本来我应该很快乐的，可惜还是

yǒu yì duǒ wū yún pǎo dào wǒ de tóu dǐng shang jiù kuài kǎo
有一朵乌云跑到我的头顶上——就快考

shì le
试了。

yī nián jí de shí hou wǒ hěn xǐ huan kǎo shì hái zài
　　一年级的时候我很喜欢考试，还在

shì juàn shang huà biàn xíng jīn gāng lǎo shī bù zhī dào shì wǒ
试卷上画变形金刚。老师不知道是我

huà de yīn wèi wǒ wàng le xiě shàng zì jǐ de míng zi kě
画的，因为我忘了写上自己的名字。可

shì xiàn zài wǒ yǐ jīng shàng èr nián jí le zhī dào bù kě
是，现在我已经上二年级了，知道不可

yǐ zài shì juàn shang luàn tú luàn huà fǒu zé huì dé líng fēn
以在试卷上乱涂乱画，否则会得零分，

gèng bú huì wàng jì xiě zì jǐ de míng zi wǒ zhī dào mā
更不会忘记写自己的名字。我知道妈

ma wèi shén me nà me pà
妈为什么那么怕
wǒ kǎo shì yīn wèi tā pà
我考试，因为她怕
wǒ kǎo bù hǎo gěi tā diū
我考不好，给她丢
liǎn wǒ yě yuè lái yuè
脸。我也越来越
pà kǎo shì le yīn wèi bà
怕考试了，因为爸
ba zǒng shì yòng quán tóu wēi
爸总是用拳头“威
xié wǒ
胁”我。

kǎo shì qián yì tiān bà ba
考试前一天，爸爸
rēng gěi wǒ sān jù huà
扔给我三句话：

dì yī jù kǎo bú dào
“第一句：考不到
fēn xiǎo xīn nǐ de pì gu
80分小心你的屁股！

dì èr jù kǎo bú dào fēn xiǎo xīn nǐ
“第二句：考不到85分小心你
de pì gu
的屁股！

dì sān jù kǎo bú dào fēn xiǎo xīn nǐ
“第三句：考不到90分小心你
de pì gu
的屁股！”

为什么爸爸非要和我的屁股过不去呢？我的屁股招谁惹谁了？

不知道是哪个人发明的考试，这真是世界上最无聊最可恶最没意思的事，而且是和屁股作对的事！

今天，考试成绩出来了。我拿起来一看——啊！才75分。

我没考80分，也没考85分，更没考90分，现在，我是不是就不用小心我的屁股了呢？

成长真奇妙 日记很快乐

《小屁孩日记》男生版

中国首套贯穿小学一到六年级的校园幽默日记，记录了小学一年级到六年级的学校趣事。

一年级里好多的“第一次”；
二年级时竟然会上“打哈欠课”和“外号课”；
三年级时男生讨厌女生，女生讨厌男生；
四年级的小屁孩和蜥蜴进行了一次“伸舌头大赛”；
五年级遭遇校园暴力；
六年级帮小豆包打架却挨罚……
有趣的、好玩的、奇怪的、烦恼的、可乐的……
原来校园生活每一年都是这么精彩、神秘，令人向往。

《小屁孩日记》女生版

女生版的小屁孩日记，更真实更有趣的快乐成长日记！

记录了小女生的小心思、小淘气、小可爱、小搞怪、小梦想、小秘密、小麻烦……

一年级时遇到了一个香喷喷甜蜜蜜的老师；
二年级时大板牙掉得稀里哗啦，大家争抢着加入没牙的僵尸队伍；
三年级时男生女生决战无敌啪叽王；
四年级时给校长当密探；
五年级时遇到“情书事件”；
六年级毕业考试前一天老师竟然请大家看电影。
还会有什么新鲜的事在等着小屁孩呢？
让我们跟着小屁孩一起上学吧！

值日本